Misterioso asesinato en Oz

Carmen Pacheco

Punto de
Encuentro

everest

Dirección Editorial **Raquel López Varela**
Coordinación Editorial **Ana María García Alonso**
Maquetación **Susana Diez González**
Ilustración de cubierta **Laura Pacheco Torres**
Diseño de cubierta **David de Ramón**
Fotografía de solapa **Alejandro Monge**

© Carmen Pacheco Torres
© EDITORIAL EVEREST, S. A.
Carretera León-La Coruña, km 5 - LEÓN
ISBN: 978-84-441-4094-0
Depósito legal: LE. 339-2008
Printed in Spain - Impreso en España

EDITORIAL EVERGRÁFICAS, S. L.
Carretera León-La Coruña, km 5
LEÓN (España)
Atención al cliente: 902 123 400
www.everest.es

1. Una invitación caída del cielo

—Hace un día impresionante, ¿no te parece? —pregunté, retóricamente, mientras abría la ventana del comedor de par en par y me desperezaba.

No es que estuviera sola pero tampoco esperaba que Nicholas contestara. Estaba sentado frente a la mesa, con el periódico abierto ante sus narices y no me había dedicado ni una mirada, aunque a él no le hacía falta mirarme para saber dónde estaba yo en cada momento.

—¿Por qué te sientas ahí y finges leer esos papeles si ya te has conectado a la red y sabes lo que ha ocurrido aquí, y en todo el mundo? —le dije, y esta vez la pregunta no era retórica.

—Por supuesto que no estoy leyendo nada, Frieda, eso no me llevaría ni dos segundos. Simplemente me complace contemplar cómo, a nivel microscópico, la tinta se expande por el papel de una manera caprichosa, pero no tan aleatoria como podría parecer a primera vista. ¿Sabes lo fascinante que es el proceso por el que un líquido se abre camino por los pequeños capilares de un sólido no demasiado denso? No. Por supuesto que no lo sabes.

—Bah —dije, con intención de picarle—, no seas pedante, te sientas ahí a leer el periódico un domingo por la mañana porque es lo que haría aquí cualquier humano.

Nicholas no emitió el más mínimo sonido como respuesta y deduje que estaba de muy mal humor, si es que los mecas cambian de humor. Yo, que soy la hermana de uno, afirmaría que sí, que en ciertos aspectos se parecen mucho a las personas, aunque la ciencia diga que no. Al menos Nicholas puede ser tan irritante como cualquier humano cuando se lo propone y no es inmune a que hagan con él lo propio.

Nicholas y yo compartíamos casa, padre y ADN. Las bellas facciones de su cara, su precioso y rubísimo pelo, su piel pálida y sus orejas algo puntiagudas se habían creado a partir de nuestro material genético. Todo lo que había dentro de él era tecnología avanzada.

—¿Puedo saber por qué sigues ahí frente a la ventana? —dijo de repente.

—Porque hace un día precioso, ya te lo he dicho, y me encanta esta ciudad.

Y era verdad. Nueva Esmeralda siempre me había fascinado desde que nos instaláramos en ella hacía unos meses. No era demasiado grande pero la mayoría de los que vivían allí eran artistas y eso se notaba en cada detalle. Se fundó como capital de la colonia de Oz, cuando Los Señores de Vieja Tierra cedieron nueve planetas terraformados a cualquiera que los quisiera colonizar. En mi opinión, resultó una estrategia brillante para deshacerse por fin de todas las protestas internas contra la Era de la Perfección.

La vida en Vieja Tierra era aburrida. Sin pobreza, hambre, enfermedades y una esperanza de vida de trescientos años, gracias a las dosis regenerativas a las que todos los ciudadanos tenían derecho, la verdad es que no quedaba mucho de lo que preocuparse. Además, la policía meca era tan efectiva que era prácticamente imposible cometer un crimen. La naturaleza humana, tan propensa a ello, se había resignado como un perrito amaestrado y cualquier inclinación delictiva en un ciudadano era tomada como una auténtica aberración, fácilmente corregible con la terapia neuronal adecuada. Así que algunas personas, mortalmente aburridas, decidieron comenzar a protestar, reivindicando un cambio. Los Señores de Vieja Tierra reaccionaron sorprendidos. ¿Cómo que un cambio? La Humanidad había sufrido todo tipo de calamidades hasta llegar a la Era de la Perfección, cuyo nombre estaba plenamente justificado. ¿Por qué no se largaba esa gente aburrida a Marte o a Venus, donde la vida era mucho más dura y los inmigrantes eran bien recibidos? Pero la terraformación de las dos primeras colonias de la Tierra no había contado con los avances tecnológicos de la actualidad y durante generaciones los habitantes de Marte y Venus se habían adaptado a la dureza de las condiciones atmosféricas, que un débil terrícola difícilmente podría soportar. Así que Los Señores de Vieja Tierra eligieron un sistema planetario suficientemente apartado del sistema solar, pero muy parecido a él, y terraformaron sus planetas en apenas unos años, hasta que su atmósfera modificada permitió implantar una fauna y una flora similares a la terrestre. Después, animaron a la población descontenta a que emigrara a estas colonias y fundase civilizaciones acorde con su idea de "vida emocionante". De esta forma surgieron extravagantes proyectos como Oz y su capital Nueva Esmeralda, un lugar para artistas, que rescató del olvido la época decimonónica y sus románticos valores.

Alguien debió de pensar que ya que iba a deberle su nombre a un mundo de fantasía, la concepción de la ciudad debía ser fantástica desde los mismos planos. Así pues, trazaron sus calles formando círculos más y más amplios en torno a una gran extensión central, un parque gigante, lleno de árboles y aire puro. Para conectar estas calles concéntricas, doce radiales se extendían desde el núcleo hasta la última de las circunferencias. A vista de pájaro, Nueva Esmeralda era una ciudad redonda, verde y radiante, donde las calles eran las líneas de una diana, atravesadas por otras doce calles que surgían como rayos del centro. En resumen, la distribución urbana menos práctica del mundo.

Aquella mañana, desde nuestra ventana, en el ático de un edificio de la tercera circular, podía ver a los carruajes deslizarse sobre el pavimento dorado, en una curva continua. Nicholas decía que era una ciudad construida por idiotas, pero a mí me parecía original e interesante.

Los tejados a mi alrededor lucían sus tejas verdes, reflectantes, obligatorias en Nueva Esmeralda, que creaban un espectáculo de luz maravilloso sea cual fuera la hora del día. Era simplemente precioso. Aunque poco práctico también. No había ningún zepelín que llegara hasta Nueva Esmeralda porque el destello de los miles de tejados era insoportable para cualquier piloto humano, y en Oz no había pilotos mecas.

—Te encanta la ciudad, sí, lo sé, pero llevas ahí ya cinco minutos y veintitrés segundos y aunque puedo suponer la razón, no quiero creerla —insistió Nicholas.

Me di la vuelta, cegada por el cambio de luz entre el radiante exterior y la penumbra del comedor.

—Espero el correo —dije.

Nicholas bajó suavemente el periódico, lo dejó sobre la mesa, juntó sus manos, cruzó los dedos y me dedicó una larga mirada con aquellas pupilas violeta suyas. Los ojos de los mecas, siempre del mismo color, eran la única parte de su aspecto exterior que resultaba evidentemente artificial. Era un requisito imprescindible al construirlos. Así no podían confundirse con los humanos.

—No esperaba esto de ti, Frieda —dijo muy serio y yo me eché a reír.

—De todas las tonterías, todas las chifladuras propias de la pandilla de descerebrados que gobierna esta ciudad, el nuevo sistema postal me parece sin duda la peor —continuó Nicholas.

—Pues yo creo que es divertido que catapulten el correo. Por eso nos di de alta para que nos lo mandaran así.

—¿Divertido?

—Sí, divertido.

—Es peligroso.

—¡No! Dicen que es muy seguro. Controlan el viento, la velocidad, el peso del paquete o las cartas al lanzarlos, y todo llega exactamente a la ventana del destinatario. Y si la ventana estuviera cerrada, el paquete lo detectaría por su sistema de radar y caería suavemente en el buzón de abajo. Está todo calculado.

—Calculado. Ajá. Los cálculos de esa gente son los mismos que sirvieron para construir esta ciudad y eso no dice mucho de su eficiencia. De hecho, si te gustan los cálculos, Frieda, puedo decirte cual es exactamente el porcentaje de probabilidad que hay de que ocurra un accidente con ese sistema. Te sorprendería.

—¡No! ¡No quiero saberlo! ¡No seas aguafiestas, Nicholas!

—Está bien. No te lo diré. Pero sí que es mayor que la probabilidad de que nuestro querido progenitor nos haya enviado una postal. Puedes esperar sentada. No llegará nada.

Y en eso tenía razón. Las posibilidades de que papá mandara algo eran prácticamente nulas. Estaba de viaje siempre y se comunicaba con nosotros a través de la red. No había terminales para conectarse en Nueva Esmeralda porque estaban prohibidas, según la filosofía de la ciudad, pero Nicholas podía acceder a ella, en cualquier parte, captando la señal que emitían los satélites cercanos.

Contemplé el horizonte durante un rato más, hasta que el cielo azul de Nueva Esmeralda se vio surcado de insólitos proyectiles que, con trayectorias en parábola, llegaban hasta las ventanas de sus destinatarios.

—¡Ya ha empezado, Nicholas!

—Genial —musitó él, sarcásticamente.

Hubiera pagado por tener ojos en la nuca y contemplar su reacción en el momento en el que un precioso sobre, color lavanda, aterrizó, como un grácil pájaro entre mis manos. Me giré entusiasmada. Nicholas miraba fíjamente el sobre, notablemente molesto porque hubiera echado a perder sus predicciones.

—¿Cómo…? ¿Quién…?

Las motivaciones humanas y los impredecibles actos de su conducta eran variables que arruinaban constantemente los cálculos de Nicholas.

—No es tan raro —me defendí.

—Sí es raro. No conoces a nadie en la ciudad lo suficiente para que te manden nada.

—Tal vez sea una invitación. He oído que está de moda organizar reuniones e invitar a gente que no se conoce.

—¿Y por qué querría alguien hacer una cosa tan absurda?

—¡Porque es emocionante!

Nicholas demostró lo emocionante que le parecía, volviendo a interponer el periódico entre él y yo.

—Venga, no me digas que no tienes curiosidad por saber qué hay en el sobre.

Nicholas volvió a bajar el periódico bruscamente.

—Ábrelo de una vez.

Me eché a reír y obedecí. Efectivamente se trataba de una invitación.

—Lady Adler me invita a pasar el fin de semana en su casa de campo, junto con otros ilustres invitados.

—¿Fin de semana?

—Según el calendario antiguo que acaban de instaurar. Eso es dentro de tres días. Probablemente haya oído hablar de mí por aquel asunto de las joyas del museo.

—Probablemente.

El museo de Nueva Esmeralda conservaba antiguas reliquias, cedidas y trasladadas desde los museos del Viejo Londres. Entre ellas estaban las joyas de la que fuera una de las reinas de Inglaterra. No eran más que un montón de oro y diamantes vulgares, pero su valor histórico era incalculable. El museo decidió organizar un robo, al estilo de las antiguas novelas policíacas, y retar a cualquier ciudadano a que averiguara quién tenía las joyas en su poder. Yo acababa de llegar a la ciudad por entonces y decidí presentarme. Fue bastante fácil hallar al culpable porque las pistas que había dejado eran vergonzosamente obvias. Aun así, me premiaron con un título oficial de "Detective", reconocido por el cuerpo de policía de Nueva Esmeralda, y mi foto (¡una fotografía antigua! ¡en dos dimensiones!) salió en los noticiarios de papel.

—¿Y quién es esa Lady Adler? No, no, espera, ya te lo digo yo —dijo Nicholas, maliciosamente, mientras ponía los ojos en blanco y se conectaba a la red.

—¡Nicholas! ¡Eso está prohibido! Un día de estos, detectarán la conexión y vendrán a por ti.

—No, por supuesto que no lo harán —respondió él, volviendo a mostrar sus pupilas violeta—, ¿sabes por qué? Porque estos chiflados de Nueva Esmeralda han creado un cuerpo de policía formado por humanos. ¡Por humanos! Y sin equipo técnico. Es ridículo. No advertirían un crimen ni aunque alguien fuera a clavarles un puñal en un ojo.

—Sólo intentan recuperar el espíritu de la Edad Postmoderna. Y dime, ya que te has conectado. ¿Quién es Lady Adler?

—Ah, ¿seguro que quieres que te facilite esa información ilegal? Eso te hace cómplice.

—Vamos, dímelo —le solté impaciente.

—Lady Adler —recitó Nicholas—, Elizabeth Adler, anteriormente conocida como Irene Deo. Ciudadana de Vieja Tierra, sector 17513. Una de las ideólogas del proyecto Oz, fundadora de Nueva Esmeralda. Miembro del Consejo de la Ciudad...

—¡Una de los pioneros! ¡Qué emocionante! —volví a interrumpir.

—…y conocida activista anti–meca, que promueve incansable la necesidad de expulsar a todas las "personas" meca de la colonia, a fin de recuperar el auténtico espíritu que motivó su fundación —Nicholas se interrumpió, haciendo una mueca de disgusto—. ¡Y encima pone personas entre comillas! Esto lo ha debido escribir ella misma o algún descerebrado seguidor suyo…

Asentí y guardé silencio. Dejé la mirada flotando sobre la invitación mientras me sumía en mis pensamientos. Esa última información acerca de mi anfitriona había enfriado bastante mi ánimo.

—¿Quieres ir? No tienes que rechazar la invitación por mí. Te conozco desde que eras un bebé. No dudaría nunca de tus principios fuera cual fuera la compañía que eligieses —dijo Nicholas comprensivo, mientras retomaba su periódico con aire despreocupado. Pero yo sabía que sí le importaba.

Los mecas tenían una sorprendente habilidad para fingir. Podían reproducir todo tipo de emociones humanas en su rostro, aunque no las sintieran, y recrearlas a voluntad cuando les viniera en gana. Por supuesto habían acabado con el gremio humano de actores, así como con tantos otros gremios. ¿Sería por eso que algunas personas llegaban a odiarlos tanto?

Cuando en Vieja Tierra se decretó la libertad de los mecas, y todos y cada uno de ellos fueron modificados en su programación para proceder a su libre albedrío, algunos vaticinaron que ese sería el fin de la Humanidad. Pensaban que los mecas nos exterminarían en venganza por haberlos creado para realizar las tareas más duras, y haber constituido durante tantas décadas nuestra servidumbre. Los humanos, como siempre, en nuestro egocentrismo, pensamos que los mecas liberados, una vez que tuvieran conciencia y voluntad propias se volverían hacia nosotros, sus creadores, y nos adorarían, o nos odiarían por haberlos sometido. Pero en realidad, resultó que tenían cosas mucho mejores que hacer. La mayoría de ellos, simplemente, se marcharon. Abandonaron sus formas humanoides y transfirieron sus consciencias a ordenadores superavanzados (creados por ellos mismos) y naves con las que se adentraron en el espacio profundo. Allá donde ningún ser humano podría llegar jamás con vida. El resto se quedó a vivir entre los humanos, pacíficamente.

Pero eso era en Vieja Tierra. En las colonias seguía siendo legal tener a los mecas trabajando como máquinas sirvientes. Los mecas libres no eran muy sensibles a este hecho. Alegaban que al estar programados para una tarea, la felicidad para ellos consistía en realizarla. No se les podía considerar personas, ni por lo tanto esclavos, si no poseían voluntad propia. Por supuesto, ninguno de estos mecas libres hubiera consentido que una mano humana hubiera vuelto a posarse sobre sus circuitos. La liberación no tenía proceso inverso. Un humano no tenía la más mínima posibilidad de volver a someter a un meca.

—Sois criaturas tan frágiles… —me decía a menudo Nicholas—. ¿Quién querría haceros daño? Es maravilloso cómo llegáis a sobrevivir sin mataros todos los unos a los otros con vuestras torpezas —y su tono no era despectivo, sino profundamente sincero.

A pesar de que la presencia humana no constituía ninguna molestia o amenaza para los mecas libres que vivían entre nosotros, y en algunas colonias la población estaba hasta tal punto integrada que existían parejas y familias mixtas, no resultaba ser esa la tónica general. En colonias como Oz, la existencia de mecas libres no estaba permitida y los sirvientes mecas cada vez estaban peor vistos. La última ley promulgada a este respecto, les obligaba a vestir uniforme negro y llevar el pelo cortado en una llamativa cresta roja. El atuendo contrastaba pretendidamente con el de los humanos, que vestían según los cánones de la moda neovictoriana. La intención era recordar a todos que los mecas sirvientes, aunque útiles, no pertenecían a la sociedad y eran por completo ajenos al proyecto y la filosofía de Oz.

—¿Puedes creer que sean tan idiotas? —se quejaba a menudo Nicholas, cuya simple presencia en Oz era ilegal—, tienen una mano de obra completamente gratis y eficaz, pero al final, los desconectarán a todos y acabarán cargando ellos mismos con las tareas pesadas. ¿Te imaginas a esos remilgados artistas procesando alimentos? Yo no. Y mucho menos tras imponer un sistema económico tan obsoleto y problemático como el antiguo capitalismo. ¿Qué será lo próximo? ¿Explotación infantil como homenaje a las novelas de Dickens? Te digo que los propios fundadores de Oz, en unos cuantos años, correrán de vuelta a Vieja Tierra, suplicando todas sus antiguas comodidades.

—Admito que toda esa postura respecto a vosotros, los mecas, es ridícula, pero la vida en Vieja Tierra no tiene ningún aliciente, Nicholas, la tasa de suicidios aumenta cada día. La gente no tiene ningún motivo por el que vivir.

—Quieres decir que los humanos necesitáis sufrir.

—En cierta manera sí. La vida es imperfecta. Eso la hace avanzar. La Era de la Perfección es un error, por paradójico que esto resulte. Es un estancamiento. Los humanos necesitamos soñar con algo mejor, tener metas, cambiar... En Nueva Esmeralda la vida es emocionante, porque todos los días ocurren cosas nuevas. Algunas no serán muy acertadas, pero al menos son sorprendentes.

Me sentía algo ridícula cuando discutía con Nicholas acerca de "la Humanidad". Me escuchaba a mí misma hablando en nombre de cientos de miles de millones de personas, como si tuviera más en común con ellas que con él, mi propio hermano. A pesar de nuestra diferente naturaleza, él y yo habíamos estado juntos desde que nacimos.

Mis padres eran científicos. Mi madre era especialista en terraformación y había muerto, por accidente, a causa de una fuerte tormenta en Marte, poco después

17

de que yo naciera. Mi padre, especialista en robótica, se quedó solo frente al cuidado de un bebé de pocos meses, al que apenas tenía tiempo para atender. Entonces, hizo lo que hacía siempre que tenía un problema: Construyó a un meca, para que lo solucionara. Creó un hermano mayor para mí, alguien que estuviera siempre a mi cuidado, que me protegiera, que me educara y que velara porque todas mis necesidades estuvieran cubiertas: construyó a Nicholas.

Olvidé todo aquel asunto de la invitación y después del almuerzo, me tumbé a leer sobre el suelo de madera, en el cálido charco de luz que arrojaban los ventanales y que también se derramaba sobre las páginas de mi libro. Mi abultada falda y las enaguas que llevaba debajo hacían las veces de improvisado colchón. Me encantaba llevar aquellas ropas pesadas tan distintas de las minimalistas prendas que solían usarse en Vieja Tierra. Me concentré en la lectura. Ulises y los suyos corrían todo tipo de desventuras en la isla de Circe en ese momento, pero yo me sentía feliz de estar leyendo una obra tan antigua como la Odisea de Homero, en papel y a la luz del sol. Decidí apuntar eso en mi diario y alargué la mano para alcanzar el cuaderno y la pluma que siempre tenía cerca. Estaba realmente relajada y feliz, escribiendo, hasta que un impertinente globo ocular, con una pupila violeta que se movía de un lado a otro, aterrizó bruscamente sobre las páginas de mi cuaderno.

Me giré sobre mí misma y se lo lancé de vuelta a Nicholas, que me contemplaba, con un único ojo, apoyado en el marco de la puerta. Él lo cazó al vuelo y se lo volvió a colocar.

—¿Te importaría no ir arrojando tus órganos sobre mis cosas? —le dije, con fingida ofensa—. Estás violando mi intimidad.

—Sólo quería echarle un vistazo —contestó él y, en un tono de voz más agudo, comenzó a imitarme, burlándose—: Querido diario: Hoy he recibido una invitación. Oh, es taaaan emocionante. ¿Aceptaré o no aceptaré? Qué dilema para mi pobre e indecisa condición humana…

Durante unos segundos nos contemplamos en silenció y después nos echamos a reír.

—¿Qué pasa, Nicholas? ¿Qué te preocupa? —le dije al fin.

—Quiero que vayas a esa… reunión o lo que sea.

—¿Por qué?

—Porque necesitas salir y relacionarte con otros humanos de tu edad. Hacer amigos y ese tipo de cosas. Aunque sean idiotas.

—Ah, ¿sí? ¿tú crees? —respondí, súbitamente interesada por aquel cambio suyo de parecer, acerca de las costumbres de Nueva Esmeralda.

—Sí. No quiero influirte con mis opiniones. Mudarte aquí fue idea tuya y yo, simplemente, decidí acompañarte. Es lógico que intentes vivir tu propia vida.

—Vaya, has estado reflexionando sobre el tema —respondí con una sonrisa.

—Sí. La verdad es que sí.

Me imaginé a Nicholas, sentado en su cuarto, con la mirada perdida, dándole vueltas durante horas a aquellas cuestiones sobre los jóvenes humanos y sus motivaciones. Me lo imaginé conectándose a la red, buscando información sobre ello, y sentí un acceso repentino de ternura.

Tenía razón en cuanto a que no me había relacionado mucho con otras personas en el tiempo que llevaba allí. Después del asunto del robo en el museo, las semanas habían pasado volando y yo había dedicado mi tiempo básicamente a dar largos paseos por las calles de Nueva Esmeralda y leer los libros que adquiría en una librería cercana a nuestro apartamento. Para mí, en eso consistía la felicidad. Aunque, tal vez, como decía Nicholas, era hora de que empezara a explorar nuevos horizontes.

—Está bien. Iré —le dije—. Gracias por preocuparte por mí. De verdad.

—De nada —contestó mi hermano—. Además, acabo de terminar un traje para ti. Pruébatelo cuando puedas.

En efecto, Nicholas era asombroso. Para empezar, había entrado en Oz ilegalmente, ocultando el color de sus ojos mediante unas simples gafas de sol. Aquel día, la afluencia de personas que llegaban a través de portal teletransportador era abundante y Nicholas provocó una pequeña avería en su funcionamiento. Se armó el revuelo entre los operarios humanos y su entrada pasó desapercibida. Parecía tan seguro de sí mismo que nadie había reparado en aquellas sospechosas gafas oscuras. En colonias como Ciberia, donde la población meca era mayoría, podían conseguirse ojos ilegales, de aspecto orgánico y diferentes colores, pero, según Nicholas, los órganos de contrabando, que no provenían de los laboratorios Vieja Tierra, eran terriblemente defectuosos. Jamás pensé que un plan tan simple diera resultado, pero allí estaba él.

Y no sólo eso, sino que además se había convertido en el sastre más famoso de Nueva Esmeralda. De hecho, según el sistema económico vigente en Oz, Nicholas y yo éramos ricos. Para él, confeccionar trajes a la moda neovictoriana era una manera de entretener las manos mientras pensaba en otras cosas. Una vez terminados, salía de casa, siempre con sus oscuras gafas de montura metálica y lentes redondas, y llevaba los trajes a una famosa tienda donde se los compraban a cambio de una elevada suma, telas para confeccionar más trajes, y una absoluta confidencialidad.

El hecho de que el mejor diseñador de Nueva Esmeralda prefiriera mantener en secreto su identidad, era algo que aumentaba la popularidad de los trajes de Nicholas. Los habitantes de la ciudad sentían debilidad por aquel tipo de extravagancias. El último de sus clientes había resultado ser, tal y como nos lo había mostrado una foto en la portada de un periódico, el propio Jefe del Consejo de la Ciudad, al que la prensa había apodado como "el Mago". Es decir, el máximo representante de la política de Oz.

—Un completo imbécil —afirmaba Nicholas—. ¿Sabes lo que ha pagado por ese traje?

—Es un traje precioso —admití yo, mientras examinaba la fotografía del Mago—, tiene el típico corte neovictoriano, pero está lleno de detalles originales. ¿Cómo se te ocurren estas cosas?

—No se me ocurren —contestó Nicholas secamente—, son variaciones aleatorias. Introduzco en mi programa el patrón clásico y le añado modificaciones al azar. Con esto, intento demostrar que eso que llaman "moda" es un auténtico engaño. No se requiere talento para crearla. Un día, haré un traje con un cuello que les tape la cara, y todos esos idiotas se lo pondrán.

—No estoy de acuerdo —le dije—, estos trajes tienen un cierto... estilo. No me creo del todo que esas variaciones que haces sean aleatorias, pero aunque de verdad lo fueran, no demostraría nada. La moda es un fenómeno sociológico. Hay que estudiarla desde el punto de vista de las personas que la siguen, no desde el que las crean. Lo interesante es por qué la gente decide seguir una moda y no otra y por qué eso les hace sentir bien o mal. En Vieja Tierra todas nuestras prendas eran iguales y no había alternativa. Aquí la gente puede elegir, puede expresarse a través de... —y me callé cuando me di cuenta que Nicholas se había marchado del cuarto y yo estaba hablando sola.

Contesté a Lady Adler confirmándole mi asistencia y, mientras lo hacía, volví a sentirme embargada por la emoción de aproximarme a una experiencia desconocida. Había leído muchas novelas escritas en la Era Postmoderna, ¿pero serían suficientes? ¿Sabría comportarme en la reunión de Lady Adler? ¿Y si confundía los usos sociales del siglo XIX con los del siglo XX? ¿Serían comprensivos Lady Adler y los demás invitados con una recién llegada a Oz?

Lady Adler volvió a contestarme con los datos necesarios para llegar hasta su casa de campo y una lista de los invitados que habían confirmado su asistencia. En vez de darme las coordenadas exactas del lugar, simplemente me indicaba el transporte que debía coger, a la hora que debía hacerlo, e incluso me comentaba que el último tramo tendría que recorrerlo a pie, disfrutando de un agradable paseo entre el paisaje natural de la campiña. Eso me pareció terriblemente emocionante.

La lista de invitados no lo era menos. Según Lady Adler asistirían a la reunión:

—Joseph Hardings, pionero del proyecto Oz, y miembro también del Consejo de la Ciudad, acompañado por su prometida, la señorita Claire Hills, conocida cantante y, sin duda, la estrella del momento en Nueva Esmeralda. La había visto en escena una noche, interpretando *La Traviata* en el Teatro Real y me había causado una grandísima impresión. Tener la oportunidad de conocerla y convivir con ella durante un fin de semana debía de ser el sueño de muchos de sus admiradores.

—Marian Locke, también cantante y actriz. Su nombre me sonaba un poco menos y no la había visto actuar, pero había oído que durante los primeros años de Nueva Esmeralda, había sido primera actriz en casi todas las representaciones.

—Jack Turner, el famoso escritor. Era columnista en los dos periódicos más importantes de Nueva Esmeralda y su obra "Cruel luna de Oz", le había valido la admiración y el reconocimiento de toda la ciudad. Para mí, era un auténtico sueño conocerle, puesto que las fantásticas descripciones que hacía en su novela de los mágicos paisajes y las gentes de Oz, habían sido determinantes a la hora de mudarme allí.

Y finalmente, la nota mencionaba al señor y la señora Creo, matrimonio al que no conocía, pero cuyo apellido, marcadamente marciano, me llamó la atención. Normalmente, los recién llegados a Oz cambiaban sus apellidos por otros típicamente ingleses. A veces, incluso, cambiaban sus nombres de pila. Nicholas había elegido un apellido totalmente inventado, que no le vinculara a mí y yo había decidido conservar el mío original: Lux, aunque cualquiera pudiera deducir por él que mi origen era Vieja Tierra. El señor y la señora Creo habían elegido la misma opción, si bien la presencia de marcianos en Oz era mucho más sorprendente. No podía imaginarme dos colonias más distintas en cuanto a estilo de vida y usos sociales.

Lady Adler también explicaba en su nota que, en caso de ser acompañada por algún servomeca que portara mi equipaje, éste podía ser alojado en los establos de la mansión. No pude evitar que en este último párrafo Lady Adler me pareciera una completa estúpida.

Los sirvientes mecas, cuando no estaban en funcionamiento, podían quedarse de pie, inmóviles, indefinidamente, hasta que alguien volviera a solicitar sus funciones. Lo normal es que permanecieran en el cuarto de uno, durante la noche, por si se les requería para peticiones tan frecuentes como traer un vaso de agua o administrar un somnífero en caso de insomnio. Si su presencia rompía el encanto de la escena, bien podrían ser guardados en un armario. Dejarlos apartados en un establo era una medida innecesaria y, sobre todo, poco práctica. Los servomecas no eran esclavos ni animales. Eran máquinas.

Decidí ignorar aquel párrafo, ya que ni siquiera me incumbía, y concentrarme en la excitante oportunidad de conocer y convivir durante tres días con aquellas personas. Sin duda, habría comidas y cenas en las que se charlaría animadamente y, tal vez, pasaríamos la tarde en el jardín. Había leído también acerca de juegos como el cricket y el tenis, que se realizaban al aire libre y requerían un uso completo del cuerpo. Me pregunté si Lady Adler contaría con instalaciones de ese tipo y deseé que así fuera. Tenía los músculos bien desarrollados, debido a los ejercicios obligatorios en Vieja Tierra, pero nunca había jugado a ningún tipo de deporte. Y mucho menos con alguien que no fuera Nicholas (es fácil imaginar que jugar con un meca a cualquier cosa resulta bastante frustrante, puesto que ganar o perder es decisión suya).

Era viernes por la mañana, según el antiguo calendario terrestre, cuando me encontraba en mi cuarto, nerviosa y emocionada, preparando el equipaje.

—¿Cuánto peso crees que podría transportar si tengo que caminar un rato a pie? —le pregunté a Nicholas, que se encontraba en la otra habitación. Como no tenía experiencia en aquellas cuestiones, solía preguntarle a él, para que realizara cálculos aproximados.

—Puedes llevar todo el peso que quieras —pronunció una voz, cerca de mí.

Me di la vuelta y observé a Nicholas, apoyado en el marco de la puerta. Llevaba un traje negro y se había rapado la cabeza a excepción de una cresta roja que lucía en el centro.

—¡Oh, no! —exclamé horrorizada, en todos los sentidos.

—¡Oh, sí! —se burló él—. No pienso dejar que vayas sola a esa reunión de artistas chiflados. Bueno, de hecho, estarás sola a efectos prácticos, pero quiero estar cerca por si ocurre cualquier imprevisto.

—¡Nicholas, no tengo cinco años!

—Lo sé, Frieda. Y tampoco tienes opción.

Me dejé caer en la cama, totalmente desarmada por aquella última sentencia. Sabía que no iba a conseguir nada discutiendo con él.

—¡Pero tendrás que pasar la noche en un establo! —argüí en un último intento.

—¿Bueno, y qué? Tengo el sentido del olfato desactivado desde hace años. No me servía de mucho, la verdad. Me haré pasar por servomeca con todas las consecuencias. Desde luego no será el papel más difícil que haya interpretado...

Definitivamente, no iba a convencer a Nicholas de que aquel plan era innecesario. Si sabía algo de mi hermano, era que una de las cosas que le resultaban más divertidas, según su propia idea de la diversión, era burlarse de los humanos. Por lo tanto, aquel plan reunía en uno sus dos pasatiempos preferidos. El primero era aquel engaño y el segundo consistía simplemente en cuidar de mí.

El día que mi padre desprogramó a Nicholas, para convertirlo en un ser cien por cien libre, yo tenía siete años. Mi padre había intentado explicarme que quizá Nicholas quisiera abandonarnos y participar en el éxodo masivo de mecas que estaba teniendo lugar en todas las ciudades. Yo me había dado cuenta de que los servomecas que realizaban sus tareas en las calles se habían esfumado y de que algo extraño estaba pasando, pero me tomé francamente mal aquella noticia de que Nicholas podía desaparecer de mi vida. Mi padre intentó explicarme que Nicholas era un meca inteligente, muy distinto a los servomecas, y que se comportaba libremente, como cualquier humano, en todo lo que no tuviera relación a mí. Su única tarea programada era cuidarme y protegerme ante todo. Intentó explicarme que mientras esto fuera así, Nicholas no sería libre y por lo tanto no sería una persona propiamente dicha —mi padre apoyaba la imposición de la ley liberadora, a pesar de que con ella perdió de vista a muchas de sus creaciones–. Yo no entendía aquellos razonamientos y aquella mañana en la que mi padre iba a llevar a cabo la desprogramación, me quedé jugando triste y malhumorada, en mi cuarto.

A media mañana Nicholas entró en la habitación. Yo me lancé hacia él y lo abracé rogándole que no se fuera. Él no dijo nada. Simplemente me miraba. Yo era muy pequeña pero pude darme cuenta de que su forma de hacerlo era completamente diferente. No sabría decir por qué. No había nada raro en su conducta; simplemente me observaba. Pero supongo que por primera vez lo estaba haciendo libremente, sin estar atado a mí de ninguna manera. Me miraba como una persona observa a otra.

Yo le solté por fin y volví a mi juego, mientras él se sentaba y seguía observando. Le pregunté si quería jugar conmigo y negó con la cabeza. Aquello no era extraño. Muchas veces, Nicholas se negaba a participar en mis juegos. Entonces construí con mis cubos una inestable formación piramidal y me dispuse a subirme a ella. Supongo que simplemente quería provocar a Nicholas y que por fin dijera algo. Él siempre me prohibía que jugara a aquello porque, según sus cálculos, la probabilidad de que me cayera y me hiciera daño era prácticamente del cien por cien. De hecho, opinaba que aquel era mi juego más estúpido puesto que no tenía otro fin que el de acabar en el suelo con algún hueso roto. Pero aquel día no dijo nada y yo no paré de escalar hasta que un cubo mal colocado, tembló y se volcó, desmoronando toda la construcción y proporcionándome una consistente prueba de los nocivos efectos de la gravedad en aquel tipo de juegos. Tenía un brazo magullado por la caída y el filo de uno de los cubos me había provocado un corte en la rodilla, que me sangraba copiosamente. Comencé a llorar. Nicholas no se levantó para socorrerme y probablemente mi padre no me oía. Entonces sentí mucha pena de mí misma y mis lágrimas brotaron por duplicado.

No sé cuánto tiempo pude pasar allí sentada llorando. Supongo que fueron sólo unos minutos pero a día de hoy lo sigo recordando como una eternidad. Recuerdo que el sentimiento de soledad era mucho más profundo y doloroso que cualquiera de mis heridas. Entonces Nicholas se puso de pie por fin, se acercó a mí y me levantó del suelo como si fuera una pluma. De camino al baño, hizo surgir una aguja de su muñeca y me administró un calmante que disipó el dolor de inmediato, aunque yo ya había dejado de llorar en cuanto él me hubo tomado entre sus brazos y ni siquiera recordaba mis magulladuras. Abrió el botiquín y me colocó un parche en la rodilla herida. En diez minutos no quedaría ni un rasguño. Luego cogió más dosis calmantes del botiquín, abrió una cavidad en su muñeca y recargó su dispositivo.

—Espero no tener que usarlas —me advirtió—. No más juegos con los cubos.

Yo negué rápida y obedientemente con la cabeza. No volvería hacerlo. Esa misma noche, de hecho, los arrojé todos a la cabina de desintegración. Y aquel fue el único cambio en mi vida, puesto que Nicholas no se marchó a ninguna parte y todo continuó como hasta entonces.

Después del incidente, le rogué a Nicholas que me contara un cuento. Me senté en sus rodillas y cuando Ultrated –el protagonista de mis cuentos preferidos–, acababa de llegar en su nave al planeta de las personas planas, fingí que me había dormido. Ahora sé que nunca engañé a Nicholas porque él podía medir mis constantes vitales y hasta captar qué tipo de ondas emitía mi cerebro. Pero como siempre, interrumpió la narración, introdujo sus finos dedos entre mis cabellos y me acarició suavemente, con mucho cuidado.

2. La tormenta que se presentó sin avisar

Salimos de casa cuando el sol escupía sus últimos rayos sobre las calles de Nueva Esmeralda, haciendo resplandecer el empedrado de baldosas amarillas y amenazando a los transeúntes con abalanzarse sobre ellos y cegarlos a la vuelta de cualquier esquina.

Un carruaje con un cochero humano y un caballo de verdad nos transportó hasta la estación de tren. Consulté el horario y saqué dos billetes para el siguiente tren con dirección Oeste. Nicholas, en su papel de servomeca, me seguía obediente y silencioso cargado con mi equipaje. A pesar de estar fuera sólo tres días, mis abultados vestidos requerían el espacio de varias maletas. Nicholas las transportaba como si estuvieran vacías. Se me hacía raro, a pesar de todo, viajar con él sin escuchar sus continuas quejas.

Una vez que estuvimos dentro de nuestro vagón, a solas en nuestro compartimento, Nicholas abandonó la mirada perdida, propia de los servomecas, y relajó su postura, poniendo las piernas sobre el asiento de enfrente.

—¡Viva el teletransporte! —exclamó irónicamente, mientras alzaba los brazos en señal de protesta. En Nueva Esmeralda sólo había un portal teletransportador, situado en la embajada de Vieja Tierra, y reservado para las entradas y salidas del planeta. La filosofía de la colonia también estaba en contra del teletransporte.

—No seas quejica —le regañé—, en la Era Postmoderna la mayoría de las aventuras tenían lugar durante los viajes. ¿No has leído *Asesinato en el Orient Express*?

—No, espera un momento —dijo, mientras ponía los ojos en blanco y se conectaba ilegalmente a la red. Yo también los puse, por simple exasperación—. Ya, ya lo he leído —dijo volviendo en sí—. Curioso desenlace. Sin duda lo mejor de la novela. Aunque quizá es un poco forzado, ¿no te parece? No me imagino a un grupo de pasajeros turnándose uno a uno para...

—Basta —le detuve—. Era una pregunta retórica. No hacía falta que contestaras. Y por cierto, descargarte un libro en la memoria no es leer.

Nicholas me hizo una mueca y yo giré la cabeza para mirar por la ventanilla. El tren se puso en marcha y empezó a deslizarse sobre los raíles. Algunas personas, de pie en el andén, agitaban las manos en señal de despedida. Rápidamente fueron haciéndose más y más pequeñas y las dejamos atrás. El tren traqueteaba sobre la vía y agitaba nuestro vagón a un lado y a otro. Me parecía que ganaba velocidad según se aceleraban los latidos de mi corazón. ¡Oh, era tan emocionante! Nunca antes en mi vida había viajado en tren. Vieja Tierra estaba llena de portales teletransportadores por todas partes.

El paisaje se deslizaba frente a la ventanilla a toda velocidad en una sucesión de colores y formas: casitas, campos, árboles, bosques y la línea del horizonte, con el sol a lo lejos, agonizante, haciendo resplandecer, en un último y glorioso esfuerzo, los campos de trigo dorado y las copas de los árboles.

De repente, la velocidad del tren disminuyó conforme nos acercábamos a las lindes de un río. No alcanzaba a ver bien, por la ventanilla, lo que teníamos delante, pero supuse que cruzaríamos un puente. Efectivamente, cuando nuestro vagón llegó a la altura del río, escuchamos los crujidos de la construcción soportando el peso del tren. Las aguas calladas y quietas resplandecían con la luz del ocaso.

—No lo puedo creer, no lo puedo creer —murmuró Nicholas tapándose la cara con las manos—. El puente es de madera.

—¿Qué ocurre? —le pregunté.

—Que los ingenieros de esta colonia han ido demasiado lejos con su estúpido romanticismo. Ya sé que los humanos podéis ser ilógicos, pero construir un puente de madera sobre un río para el paso de un tren es demasiado. Ahora entiendo por qué en Oz está prohibida la entrada de mecas libres. Es por nuestro propio bien. Asistir a tanta irracionalidad me va a fundir los circuitos.

—Este tipo de puentes existía en Vieja Tierra en el siglo XIX. Supongo que ya que han recuperado el ferrocarril a vapor, querrán ser fieles al resto.

—Que les divierta escarbar en la tierra, buscando carbón, me parece bien, pero que pongan en peligro nuestras... vuestras vidas, construyendo este puente, no me parece tan buena idea —dijo, mientras fijaba la vista en las vigas que corrían a ambos lados de las vías. Probablemente, estaba analizando el estado de cada una de ellas y estimando con precisión el tiempo de vida útil que le quedaba al puente. No quise preguntar.

La luz del atardecer se esfumó por fin y el paisaje se tornó azul. Un repentino frío, más psicológico que físico, me atenazó el cuerpo y me acurruqué en la esquina del compartimento, hasta que algo caliente y mullido se abalanzó sobre mí. Nicholas me había cubierto con una manta de viaje.

—¿Estás enfadada? —preguntó.

—¿Yo? ¿Enfadada? ¿Por qué?

—Porque me haya empeñado en acompañarte.

—Ah, eso —resoplé.

—Ya sé que acabas de cumplir veinte y que en algunas colonias serías ya madre de familia numerosa, pero...

—Sí, tengo exactamente la misma edad que tú —le interrumpí.

—Ya, pero yo siempre seré tu hermano mayor.

—Eso tendrá gracia cuando yo sea una vieja decrépita y tú sigas teniendo el mismo aspecto.

—Para eso queda mucho, pero sí, entonces seguiré siendo tu hermano mayor... De todas formas, lo que estaba diciendo es que sé que ya tienes edad para ir sola a los sitios. Es sólo que tengo —Nicholas miró incómodo por la ventanilla— un mal presentimiento sobre todo esto.

—¿Un presentimiento? ¿Tú? —pregunté divertida.

—Sí, bueno —Nicholas sonrió—. Ya sabes, es una forma de hablar...

El agradable paseo entre la naturaleza al que hacía referencia Lady Adler en su carta, resultó ser un maldito infierno. Las condiciones meteorológicas de Oz no estaban bajo control, como las de Vieja Tierra, y cuando el cielo oscuro rugió, justo al bajarnos del tren, me costó entender un poco lo que estaba pasando. No podía creer que se pusiera a llover, así como si nada, fastidiando nuestros planes, sin ningún tipo de consideración hacia nosotros.

Tuve que reconocerme a mí misma que no hubiera podido cargar con mis maletas sobre aquel terreno repugnantemente embarrado y me alegré de que Nicholas estuviera allí. No habíamos traído paraguas (me costaba hacerme con el funcionamiento y uso de aquellos molestos objetos), así que intenté cubrirme con la manta de viaje. Cuando llegamos a un punto del sendero donde la vegetación se hacía más espesa, la lluvia se volvió torrencial y tiré la manta a un lado del camino. Estaba tan empapada que pesaba demasiado para arrastrarla conmigo. Me hubiera deshecho asimismo de toda mi ropa si la perspectiva de llegar a la mansión de Lady Adler completamente desnuda no hubiera resultado tan poco alentadora. Nicholas, impasible, caminaba bajo el agua como si nada. Sin embargo, cuando intenté resguardarme bajo un árbol, me advirtió:

—No creo que sea muy buena idea detenernos y menos ahí. Creo que mi cuerpo constituye un pararrayos natural ahora mismo.

Salté como un resorte al escuchar aquel comentario y avancé rápidamente recogiéndome las faldas empapadas y sorteando los arbustos. Mi madre había muerto en una tormenta, y aunque aquel paisaje no podía ser más diferente a las desiertas llanuras de Marte, las inclemencias del tiempo me aterraban estuviera donde estuviese.

Por fin salimos de aquella zona boscosa y nos encontramos en la cima de una despejada colina. Una imponente mansión, como yo sólo había visto en las antiguas cintas de cine, se erigía majestuosa dominado el paisaje. La lluvia había amainado y me detuve un instante contemplando la estampa. No podía creer que aquello fuera real. La silueta en penumbra de la mansión se recortaba contra el amasijo de oscuras nubes que cubría el horizonte. Los relámpagos de una tormenta lejana iluminaban brevemente la estructura de los dos puntiagudos chapiteles que la coronaban. Me pregunté cómo sería la vista desde aquella colina por la mañana, con el brillo del sol y el alegre trino de los pájaros. Aquella noche, desde luego, era estremecedora.

—¿Estás temblando? —más que una pregunta era una acusación por parte de Nicholas—. Oh, sí, estás temblando. Estupendo. Si el resto de los invitados también ha sufrido este chaparrón, mañana por la mañana estaréis todos enfermos. Espero que haya algún otro servomeca en la casa porque sólo llevo encima calmantes y somníferos. Nada contra la pulmonía.

—Venga, no seas... —un repentino estornudo me sacudió como una bofetada.

—¿Lo ves?

Seguí caminado, colina abajo, conmocionada. Era la segunda vez que estornudaba en toda mi vida.

Según nos acercábamos, la verja de la entrada se iba haciendo más y más alta, tapándonos la vista de la mansión.

—Vaya, no parecía tan alta desde allí arriba.

—Lady Adler debe de ser muy celosa de su intimidad —opinó Nicholas mientras examinaba el espeso seto que, tras la verja, ahuyentaba las miradas curiosas. Por fin llegamos hasta la puerta de entrada, cerrada con un enorme candado.

—¿Y ahora qué? —murmuré, puesto que no había nada parecido a un timbre allí fuera.

Como en respuesta a mi pregunta, un foco de luz surgió súbitamente de entre los barrotes, cegándonos durante un instante. O para ser más exactos, cegándome a mí y dejando a Nicholas indiferente.

Cuando mis pupilas se adaptaron a luz, distinguí otro par de ellas, de color violeta, entre los barrotes. Un servomeca nos observaba desde el otro lado de la verja. Su cresta roja resplandecía brillante bajo la luz del farol con el que nos apuntaba.

—Muy pintoresco lo del foco no–eléctrico y muy considerado hacia los invitados, teniendo en cuenta que él no lo necesita —dijo Nicholas haciendo referencia a la capacidad de los mecas para ver en la oscuridad.

—¡Nicholas! —le regañé yo. Un comentario de ese tipo no era propio de un servomeca, si quería seguir interpretando aquel papel.

—Tranquila, el modelo que nos recibe es un meca tan inteligente como yo y ya se ha dado cuenta de que yo no estoy programado. Es inútil fingir.

—¿Es un modelo inteligente? —Su sola aparición me había sorprendido puesto que Lady Adler era tan contraria a la existencia de cualquier tipo de meca en Oz, pero que fuera un modelo inteligente era aún más inesperado. Los servomecas solían ser máquinas mucho más simples.

—Le han programado para realizar tareas básicas. Ni siquiera puede hablar. En fin, un desperdicio absoluto teniendo en cuenta sus capacidades.

El servomeca inteligente, sin atender a nuestra conversación (no estaba programado para ello), ya había abierto la verja y nos mostraba el camino hacia el interior del jardín.

—Qué extraño —murmuré—, pensaba que Lady Adler tendría sirvientes humanos. Aunque quizá no haya encontrado ninguno que quiera desempeñar el trabajo de mayordomo.

—¡Ja! —se burló Nicholas—. Dale tiempo al recién instaurado capitalismo. Aun está dando sus primeros pasitos. En unos años habrá humanos peleándose por trabajar en las minas. Y por supuesto, la mayor parte de la población será pobre y desgraciada en el maravilloso mundo de Oz.

Me giré y le lancé una mirada furibunda, aunque no le dije nada. Nos acercábamos a la puerta de entrada y supuse que aquella última crítica descarnada a la colonia era una manera de desahogarse y prepararse para las horas de obligado silencio que le esperaban. Efectivamente, cuando nos detuvimos frente a la puerta, Nicholas ya había adoptado la misma postura rígida que el servomeca que nos acompañaba y su mirada se perdía en algún punto del infinito.

El androide abrió la puerta y nos guio desde la imponente entrada, tenuemente iluminada por algunos candelabros, hasta el comedor. El interior de la mansión era tan sobrecogedor como la fachada. Si todos aquellos ornamentos eran réplicas, eran las mejores que había visto nunca. Las paredes estaban tapizadas con elegantes motivos y sobre ellas había colgados una infinidad de pequeños cuadros enmarcados, antiquísimas armas de fuego, viejas espadas y dagas con lujosas empuñaduras.

En Nueva Esmeralda, los edificios estaban construidos al estilo neovictoriano, cuyo propio prefijo advertía que no era cien por cien fiel al pasado y que combinaba los elementos clásicos con elementos puramente contemporáneos. El mismo nombre de Oz hacía referencia al mundo fantástico de la novela de L. Frank Baum y no a una ciudad real como Viejo Londres, dejando una puerta abierta a la innovación. Sin embargo, aquella mansión era puramente victoriana. Más que nunca, desde que llegase a la colonia, me sentía cómo si hubiera viajado al pasado en una máquina del tiempo.

A lo largo del pasillo tuve que contener más de una exclamación, al contemplar los preciosos cuadros al óleo que representaban escenas de caza o retratos de personas ilustres pertenecientes a un remoto pasado. Sin embargo, mi emoción desapareció al reparar de nuevo en mis ropas mojadas y el pelo que me chorreaba por la espalda. Debía de tener, sin duda, un aspecto lamentable. Qué forma tan desafortunada de encarar mi primera presentación en una reunión social. Deseé ser Nicholas e ir disfrazada de servomeca, para que nadie se fijara en mí.

Por fin llegamos al salón principal y la tensión acumulada en mi estómago estalló en sorpresa. Había otras cinco personas allí y cuatro de ellas estaban tan mojadas como yo. Una señora mayor, sacudía sus pesadas faldas frente al calor de la chimenea, un hombre de la misma edad y de abultada silueta se frotaba las manos intentando entrar en calor y, sentada en un pequeño sillón, también cerca del fuego, una dama más joven se escurría los empapados cabellos con evidente incomodidad. Un montón de maletas esperaban apiladas en un rincón de la estancia. Era evidente que ellos también acababan de llegar.

De repente, la única persona seca de la habitación se abalanzó sobre mí, tomando mis manos efusivamente.

—¡Señorita Lux! ¡Qué placer conocerla al fin! Y qué desgraciado accidente el de esta lluvia tan repentina... No sabe cuánto lo siento. Si lo hubiera sabido, habría contratado a un cochero para que los trajera a todos ustedes desde la estación.

Sonreí para mis adentros. La distinguida dama que tenía delante no podía ser otra que Lady Adler y, si bien sabía saludar y comportarse como si perteneciera a la Era Postmoderna, su familiaridad con los fenómenos meteorológicos era tan escasa como la del resto de los terrícolas contemporáneos. No imaginaba que las gentes del pasado calificaran nunca una tormenta como "un desgraciado accidente".

—Yo también estoy encantada de conocerla... ¿Lady Adler?.

—Oh, por supuesto, no me he presentado —se disculpó. Era una mujer joven, aunque mayor que yo. Sus rasgos eran delicados y tenía una bonita silueta, pero en conjunto daba una impresión de frialdad que en aquel momento me estremeció más que mis mojadas ropas—. Usted, sin embargo, ya es conocida por todos. Salía radiante en la portada de aquel periódico.

Miré a mi alrededor y todos me devolvieron la mirada. Una súbita oleada de pudor me embargó y supongo que hasta me ruboricé.

El servomeca de Lady Adler apiló el equipaje en una torre imposible y lo transportó fuera del comedor, de camino, supuse, a nuestras habitaciones. Nicholas le siguió, impasible, cargado con mis maletas. Nadie en la habitación les dirigió la mirada.

—Le presento al señor y la señora Creo. Son mis encantadores vecinos en Nueva Esmeralda. Tienen una casa preciosa contigua a la mía, en la sexta circular.

La señora Creo alzó una mano pálida y regordeta. Sus ojillos bovinos chisporrotearon a la luz de las llamas, que se agitaban en la chimenea. Su sonrisa, de labios finos, era algo forzada, por tener que afrontar, supuse, una presentación con aquel aspecto húmedo y desaliñado. Su marido, por el contrario, no parecía sufrir ningún tipo de embarazo y estrechó mi mano sin reservas. Respiraba pesadamente y su abultado pecho, que formaba un todo junto con su panza, ascendía y descendía a la vez que hablaba, descargando un vozarrón grave y ronco.

—Encantados de conocerla, señorita Lux. Me sorprende comprobar que es usted prácticamente una niña. ¿Qué edad tiene, exactamente?

—Veinte años terrestres —contesté.

—Veinte años... —repitió el señor Creo, lanzando una mirada a su esposa, cargada de interrogante.

42

—Diez años y medio, querido —aclaró ella, con la misma sonrisa forzada. Comprendí que se refería a años marcianos.

—¡Diez años! ¡Diez años, Marta! —exclamó él, estallando en una sonora y desagradable carcajada, que acabó convirtiéndose en un arranque de tos y por fin un estornudo.

Lady Adler y yo sonreímos por cortesía, esperando a que el señor Creo se recuperase y nos explicara por qué razón consideraba mi edad algo tan gracioso. Marcianos en Oz, pensé, es cómo contemplar a un elefante borracho en una cristalería.

—Realmente es usted una niña —consiguió por fin decir el señor Creo, sofocado por su tos–risa—. Apenas ha salido del cascarón aún. Mi esposa y yo andamos por los...

—Ciento noventa —dijo ella, volviendo a convertir años marcianos en terrestres.

—Oh, vaya —fue todo lo que acerté a decir. Aquella conversación me estaba cansando. Inconscientemente, posé mis ojos sobre la joven dama que estaba sentada en el sillón y que tiritaba ligeramente. Inmediatamente, se puso de pie como un resorte.

—Oh, esta es la señorita Marian Locke —dijo Lady Adler, volviéndose hacia ella—, su nombre le sonará a usted. Es una famosa actriz y una gran amiga mía —añadió con afecto.

Marian Locke me tendió su pequeña y delgada mano, como si se tratara del más maravilloso de los tesoros y su actitud, magnánima y benevolente al otorgarme el honor de estrecharla. Su rostro era tan perfecto en sus proporciones que resultaba vulgar. Una de tantas caras bonitas, salidas en serie de los centros de cirugía estética de Vieja Tierra. Como si fuera consciente de ello, y para compensarlo, mantenía un gesto tenso, con la cabeza ladeada, alzando las cejas y entrecerrando los párpados. Resultaba algo ridículo si se tenía en cuenta el desastroso aspecto de su peinado mojado.

—Encantada —pronunció, como si estuviera recitando.

Estreché su mano con cuidado, no porque me pareciera delicada, sino porque algo en aquella mujer me sugería que podía estallar en cualquier momento.

De repente, otra figura irrumpió en el cuarto, proyectado su larga sombra sobre las paredes tapizadas. Era una mujer joven, extremadamente bella y elegantemente vestida, que sostenía una bandeja con varios cuencos humeantes.

—Ah, qué bien. Ya ha llegado usted —saludó alegremente, refiriéndose a mí, mientras repartía los cuencos de lo que parecía ser un caldo de pollo caliente.

—Oh, Claire, qué amable. Pero no tenías por qué molestarte... —Lady Adler estaba evidentemente incómoda por aquella familiaridad con la que su invitada repartía los tazones.

—No es nada. El caldo estaba hecho. Yo sólo lo he servido. ¡Es una emergencia! —su sonrisa era tan cálida y luminosa como el fuego de la chimenea. Su cara redonda y sus ojos, azul transparente, irradiaban un aura angelical—. Hay que entrar en calor, ¿verdad que sí? Tomé el tazón de caldo entre mis manos. Sentí que el calor se extendía por mi cuerpo y me aliviaba del húmedo frío de la lluvia. Tomé un sorbo ansiosa y me quemé la lengua. Me pareció que tenía un sabor fuerte y amargo. A veces, los sabores de la comida clásica resultaban desagradables a los paladares terrícolas, acostumbrados a las inocuas dosis de proteínas, pero sabía que sería una descortesía si no me lo tomaba.

—Señorita Lux —continuó Lady Adler—, le presento a la señorita Claire Hills...

Estreché su mano afectuosamente. Resultaba muy emocionante tenerla allí delante. Parecía mucho más pequeña y menuda que cuando estaba actuando, pero su forma de moverse era igual de delicada. Ella me devolvió una sonrisa agradecida. Creo que mi saludo había sido tan efusivo que no me hacía falta explicar que era admiradora de su trabajo.

Tras aquella última presentación, Lady Adler nos guió hasta nuestras habitaciones. Los otros dos invitados que me faltaban por conocer, estaban ya en ellas, cambiándose sus mojadas ropas y preparándose para la cena. Mi cuarto estaba tan lujosamente decorado como el resto de la casa. Era completamente azul y los pies se perdían en una mullida y profunda alfombra del mismo color. La cama, con dosel, era como la de un sueño y sobre los azules tapices de las paredes, las sombras de los objetos, proyectadas por la luz de los candelabros, oscilaban suavemente. Me parecía estar dentro de una enorme pecera.

—¿Qué tal la primera ronda de presentaciones? —me preguntó Nicholas, que esperaba allí parado. Había abierto mis maletas y colocado los vestidos en el armario.

—Bien... parece gente... interesante —contesté, sin mucha convicción.

—Estupendo, porque es hora de que me dirija a mis lujosos aposentos, en el establo.

—Está diluviando ahí fuera. Hablaré con Lady Adler. Es ridículo que tengas que salir de la casa.

—Hermanita, créeme —Nicholas sonrió—, me da exactamente igual estar en un sitio que en otro. En el establo, al menos, estaré a salvo de vuestra charla. Si ocurre cualquier cosa y me necesitas, ve a buscarme. Si no, disfruta y pásalo bien estos tres días. Tu servomeca te esperará, obediente, para llevarte de vuelta a casa.

Y dicho esto, salió del cuarto, dejándome sola. Bien, allí estaba yo, tal y como había imaginado tantas veces, antes de mudarme a Oz. Preparada y lista para la aventura. Sólo que no me sentía así en absoluto. No conocía aquella gente y no sabía si quería conocerlos. Me dije a mí misma que simplemente estaba asustada. Llovía de nuevo y la tormenta azotaba la ventana con fuerza. El silbido del viento se colaba en la habitación, como un molesto huésped que no ha sido invitado y con quien no le queda a uno más remedio que compartir el cuarto. Gemía y hacía titilar la luz de las velas, como una provocación, como una burla.

Me senté en la cama un instante y logré calmarme. Me daría un baño con agua caliente, me arreglaría el pelo y me pondría uno de los preciosos vestidos confeccionados por Nicholas, que había traído para la ocasión. Estaría lista y radiante, a tiempo para la cena.

3. Alguien disfruta su última cena

3. Alguien disfruta su última cena

La comida me parecía exquisita (mucho mejor que el amargo caldo de pollo) y, con ayuda de un par de copas de vino, logré templar mis nervios. La tormenta ganaba fuerza y el comedor se veía súbitamente iluminado por los relámpagos, pero el sonido de los truenos era amortiguado por la suave melodía proveniente de un gramófono que Lady Adler había hecho funcionar, con objeto de diluir el incómodo silencio con el que la cena comenzó.

Aún estaba maravillada por el fastuoso atuendo que lucían las otras damas. Sin duda, Claire Hills y Marian Locke tenían un amplio vestuario donde elegir, dada su profesión. Ambas llevaban algunas plumas prendidas de su tocado y lucían llamativos collares en su escote. Sin embargo, los enormes ojos azules de Claire Hills, resaltados por el maquillaje, brillaban más que cualquier joya y acaparaban todas las miradas. Al menos hasta que Lady Adler hizo su aparición. Llevaba un apretado corsé de seda roja y una ampulosa falda, ajustada por delante y ahuecada por detrás en forma de cola. Dos enormes esmeraldas colgaban a ambos lados de su rostro, en forma de pendientes, y otra, aún mayor, descansaba sobre su pecho. Decididamente, Lady Adler sabía cómo debía destacar una buena anfitriona.

Mientras manejaba con cuidado mis cubiertos, para no cometer ninguna incorrección, me permití mirar de reojo al resto de los comensales. Jack Turner, el escritor, me cazó *in fraganti* al primer intento. La técnica de la mirada esquiva parecía su especialidad. Me sentía algo decepcionada, la verdad, porque era el invitado al que más ansiaba conocer y, paradójicamente, había sido la presentación más fría y escueta. Era un hombre joven, alto, delgado e innegablemente atractivo, pero, al contrario que Claire Hills, Turner se había mostrado altivo, casi huraño, cuando le expresé mi admiración. Me había hecho sentir algo ridícula. Le observé estornudar varias veces durante la cena. Parecía azorado por ello y eso me resarció mezquinamente. Yo, por suerte, ya no mostraba ninguno de los síntomas que habían alarmado a Nicholas.

El señor Hardings, un pecoso pelirrojo de unos treinta años terrestres, había sido amable y cálido, de la misma manera que su prometida. Ambos irradiaban ese tipo de felicidad propia de la gente enamorada. En el momento en el que iba a estrecharle la mano, alzó la suya y, en un movimiento rápido, sacó una moneda de detrás de mi oreja. Todos en la sala nos quedamos maravillados. Ya no se veía a ningún humano practicar juegos de prestidigitación, por simples que fueran, así que aplaudimos entusiasmados. Había sido una buena manera de romper el hielo antes de la cena.

—Espero que todo esté siendo de su agrado —dijo de pronto Lady Adler, que presidía la mesa—. Ya que no han podido disfrutar del paisaje, debido a la lluvia, al menos espero que la cena les esté gustando.

—¡Claro que sí! ¡Todo está exquisito! —se apresuró a asegurar Claire Hills, con una de sus sonrisas. Lady Adler no contestó.

—Creo que has tenido muy buen gusto escogiendo los platos, Elizabeth —comentó la señorita Locke, con su artificial voz modulada.

—¡Gracias! —sonrió por fin Lady Adler, como si aquella sí fuera una opinión válida—. Es la primera cena que doy aquí, en esta casa, y quería que todo fuera perfecto.

El servomeca apareció silencioso y comenzó a servir la carne asada. El señor Creo, que nos llevaba a todos una considerable ventaja etílica, señaló su copa vacía y el servomeca la volvió a llenar de inmediato.

—Suponiendo que mañana amanezca despejado —preguntó el marciano, con su ronco vozarrón—, ¿ha pensado usted en qué tipo de actividades llevaremos a cabo?

—Por supuesto —respondió Lady Adler, animada—, por la mañana montaremos a caballo… Tengo caballos muy mansos, por si alguno de ustedes no ha montado nunca antes —aclaró, mientras me dirigía una sonrisa—, y por la tarde jugaremos un partido de cricket. ¿Qué les parece?

—Creo que es muy buena idea —contestó rápidamente Claire Hills, que no desistía en su intento de agradar a la anfitriona. Lady Adler volvió a ignorarla.

—Sin duda —añadió el señor Creo—, pero me preguntaba si había planeado usted alguna pequeña salida de caza.

—¿De caza? —preguntó Marian Locke, con una mueca de horror en el rostro. Observé que el señor Turner resoplaba e intentaba disimular una sonrisa hundiendo la cara en su plato de asado.

—Oh, sí, sin duda es mi pasatiempo preferido aquí en Oz —contestó el señor Creo—. No se puede comparar con la caza de gorilas en Marte, por supuesto, pero… bueno, es que aquellas sí que son bestias salvajes, ¿saben? Aun disparándoles a la cabeza, logran aguantar con vida y no hay más remedio que acercarse hasta ellos y rematarlos. Yo, personalmente, prefiero hacer esto último con mi propio puñal. Rebanarles la aorta, ya saben, la arteria principal, es la única manera de que esos malditos bichos no vuelvan a revivir…

Claire Hills y Joseph Hardings, frente a mí, tenían los ojos tan abiertos como sus propios platos, la señorita Locke estaba a punto de vomitar su asado y Lady

Adler apenas conseguía mantener la expresión serena. Turner, por el contrario, había dejado de intentar disimular su sonrisa y la lucía ampliamente de cara al señor Creo.

—Querido, creo que les estás incomodando —le advirtió su esposa.

—¿Qué? Oh, venga, no sean ustedes tan... tan terrícolas. ¿No quieren revivir esta época? —dijo tomando su copa y señalando a su alrededor—. Bueno, pues en aquellos tiempos se hablaba de estas cosas.

—¿De la forma en la que descuartizar a los gorilas de Marte? —preguntó Marian Locke, con la náusea pintada en el rostro.

—De la caza —contestó el señor Creo, cortante.

—Bien, bueno, en cualquier caso quizá no es el mejor tema para hablar en la comida, ¿verdad señor Creo? —intervino Claire Hills, con una sonrisa conciliadora—. Ya habrá tiempo para hablar de todos esos temas después. Ahora, si me permiten, me gustaría proponer un brindis por esta maravillosa cena y por nuestra anfitriona que la ha hecho posible —fue a alcanzar su copa, pero no pareció medir bien la distancia y la derribó torpemente. Su prometido volvió a llenarla y se la puso en la mano. Finalmente, se levantó y alzó su copa de forma entusiasta. El resto de comensales la imitamos, menos Lady Adler, que parecía anclada a su silla. La sonrisa de Claire se enfrió.

—Elizabeth —el señor Hardings utilizó su nombre de pila con toda familiaridad—, ¿no vas a brindar con nosotros? —preguntó, lanzándole una intensa mirada llena de significado.

—Si me lo pides tú, sí —respondió finalmente ella, poniéndose de pie.

Todos hicimos chocar nuestras copas, algo incómodos. Yo, por mi parte, había estado callada durante toda la cena por miedo a meter la pata en aquel entramado de tensiones. Desconocía por completo la relación previa que existía entre los invitados, pero por lo que había observado, la imaginaba bastante compleja. Por suerte, para mi mortificante curiosidad, la señora Creo, sentada a mi lado, resultó ser una incontenible fuente de información.

—No entiendo por qué los ha invitado —me comentó en voz baja, mientras los otros comensales participaban en una animada charla sobre las reglas del cricket. El vozarrón del señor Creo, al lado de su esposa, mantenía nuestras voces inaudibles para el resto.

—¿A quién se refiere?

—¡Oh, no me digas que no sabes que el señor Hardings y Lady Adler fueron pareja durante años?

—¿Qué? No, no tenía ni idea.

—Ah, qué criatura tan inocente —la señora Creo sonrió de forma maliciosa—. Pues sí, los dos pertenecen al Consejo de la Ciudad y eran ya pareja cuando vivían en Vieja Tierra, hasta que apareció esa Claire Hills. Lady Adler se quedó destrozada. Aun así, es capaz de guardar las formas. Supongo que no tiene más remedio, ya que trabajan juntos... Sé de buena tinta que Lady

Adler está ganando cada vez más peso en el Consejo y hay quien afirma que tiene con el Mago algo más que una simple relación laboral. Esas esmeraldas probablemente son regalo suyo. Las malas lenguas dicen que mediante esa relación intenta ganarle terreno en el Consejo a Hardings, por despecho. Lo que no entiendo es que lo invite un fin de semana a su casa y mucho menos acompañado por su nueva prometida. Está claro que no la soporta.

—Ya… Ya me había dado cuenta de eso… —murmuré—. ¿Y qué hay de la señorita Locke? Parece que también conoce mucho a Lady Adler —ya que me había metido de lleno en el pegajoso fango del cotilleo, quería enterarme de todo.

—Oh, es una amargada. ¿No la ve usted? En Marte no perderíamos con ella ni dos minutos de nuestro tiempo, pero aquí no hay más remedio que sonreír como si nos agradara —noté que la señora Creo seguía de cerca de su marido en la carrera etílica—. Últimamente Lady Adler y ella se han hecho muy amigas y supongo que lo único que tienen en común es su odio hacia Claire Hills.

—¿Por qué? —exclamé, a riesgo de llamar la atención de los otros invitados—. Ella es adorable —dije en tono más bajo.

—Sí, parece una buena muchacha. O al menos se esfuerza mucho en parecerlo. Lo de Lady Adler es comprensible y lo de la señorita Locke se debe a simple competencia artística. Desde que Claire Hills llegó a Oz no ha hecho más que triunfar en los teatros, eclipsando por completo a Marian Locke. En mi opinión, esta no debería tomárselo como algo personal. Le ha pasado con Claire Hills como le habría pasado con cualquier otra recién llegada. Ella es una actriz demasiado mediocre como para mantenerse en cabeza de cartel.

Tragué saliva y un poco más de vino. Estaba claro que la señora Creo no tenía pelos en la lengua. Los marcianos tenían fama de no andarse con rodeos y su crueldad en diversos ámbitos era planetariamente conocida. Deseé haberle causado una buena impresión. Tal vez no estaba tan mal que me vieran como una niña inocente.

—Oh, escucha, prestemos atención, me parece que la cosa vuelve a ponerse interesante —me apremió la señora Creo.

No sé si interesante era exactamente la palabra, pero la tensión había vuelto a aflorar en la mesa. Jack Turner, cuyo aspecto algo enfermo era ya patente, había hecho una pregunta a Lady Adler, que no había podido oír, pero a juzgar por su expresión expectante aún no había sido contestada. Los demás volvían a guardar silencio. Me consolé pensando que al menos ya íbamos por el postre.

—Se llama Louis. O mejor dicho, se llamaba Louis —contestó por fin Lady Adler—. Ahora no tiene nombre. No es más que un servomeca que desconectaré cuando encuentre el servicio humano adecuado.

—Comprendo —respondió Turner con frialdad—. Simplemente me había parecido... bueno, no soy un experto, pero parece un modelo inteligente capaz de comportarse como una persona. Y he observado que lo tiene usted programado para funciones básicas. No le permite hablar.

—Las máquinas no deberían hablar —contestó Lady Adler, evidentemente deseosa de que ningún invitado hubiera sacado jamás aquel tema.

—Bueno, es un hecho —continuó discutiendo Jack Turner— que los mecas más avanzados, una vez que han sido desprogramados, resultan ser más inteligentes que nosotros, pobres humanos, por mucho que nos pese. Yo, sin ir más lejos, en Vieja Tierra tuve algunos amigos mecas. Siempre me sentí afortunado de ser lo suficientemente interesante para atraer la atención de sus mentes superiores. Cuanto más tiempo paso en Oz... más los echo de menos —dijo con amargura, en lo que fue una velada ofensa para todos los presentes—. Señor Hardings, he oído que el Consejo está valorando una propuesta para que se admita la entrada de mecas libres en Oz.

No pude evitar dar un respingo en mi silla. Toda aquella conversación me había puesto muy nerviosa. La señora Creo se volvió para mirarme y yo disimulé llevándome a los labios mi copa de vino, en una maniobra extremadamente torpe, ya que se encontraba vacía. El señor Hardings y su prometida parecían bastante incómodos, especialmente ella, tan encogida que parecía a punto de escurrirse de la silla. Sin poder ignorar la pregunta por más tiempo, el señor Hardings contestó finalmente:

—Es cierto, se ha propuesto la revisión de la ley...

—¿Se ha propuesto? —saltó Lady Adler, interrumpiéndole—. Querrás decir que la has propuesto... —Hardings y ella cruzaron otras de sus intensas miradas.

—Efectivamente —prosiguió él—, en nombre de la igualdad y la tolerancia he propuesto que a los mecas libres se les permita vivir en Oz, así como se le permite a cualquier persona, sea cuál sea su raza o planeta de origen...

—Eso no ocurrirá —volvió a interrumpir Lady Adler.

—¿Por qué? —preguntó Turner.

—Porque el Mago tiene la última palabra respecto a ese asunto y él es de mi misma opinión.

—Eso no lo dudo —dijo Hardings, sarcásticamente. Sentí que la señora Creo me daba un codazo. Debía de estar extasiada con aquel espectáculo de dagas voladoras.

—En cualquier caso, me gustaría felicitar a Louis por sus exquisitos platos. Entre sus menospreciados talentos debe de encontrarse el de la cocina —apuntó Turner, eximiendo a nuestra anfitriona de cualquier tipo de mérito por aquella cena.

—Es una máquina. No tiene ningún sentido felicitarla —respondió ella, casi temblando de rabia contenida.

—En realidad sí lo tiene —¿quién se había atrevido a añadir aún más tensión a aquella escena con aquel insolente comentario? Oh no, pensé, había sido mi propia voz. Definitivamente, yo también había bebido demasiado.

Todos me miraron, especialmente Turner, que demostró en un segundo más interés en mí de lo que había demostrado en toda la noche.

—Explíquese —me dijo.

—Bueno... —comencé titubeante. Ya no había marcha atrás. ¿Cómo me había mantenido toda la noche prudentemente callada para ir a meter la pata al final?— Aunque se trate de una máquina, ya que es un modelo inteligente, si se la felicita por una tarea realizada, es decir, si recibe una retroalimentación positiva, recordará que es así cómo debe realizarse en posteriores ocasiones y sobre eso, construirá su idea de lo que su dueño considera bueno y de lo que considera malo. Es un sistema de aprendizaje básico —concluí.

Lady Adler me dedicó el mismo tipo de mirada que a Claire Hills. Es decir, ninguna. Me maldije por haberme enemistado tan gratuitamente con mi primera anfitriona en Oz.

—Tecnicismos a un lado —continuó ella impasible—, vuelvo a insistir en que no es más que una máquina. ¿Felicitaba usted efusivamente a su cabina desintegradora en Vieja Tierra cada vez que arrojaba a ella la basura, señor Turner? —preguntó.

—No, no lo hacía, pero si pudiera volver a Vieja Tierra, me sentiría tan agradecido con mis antiguas

58

comodidades, que no dude de que felicitaría diariamente a cualquiera de mis sistemas domésticos.

—¿Qué quiere decir con "si pudiera..."? —preguntó el señor Creo.

—Quiero decir que estoy retenido contra mi voluntad en esta colonia. ¿Ah, no lo sabían? —preguntó, ante la expresión atónita de todos los invitados—. El Mago me retiene en ella, contra mi voluntad, puesto que al parecer mis servicios como propagandista son indispensables para la buena imagen de la colonia y para que no cese el flujo incautos ciudadanos de otros planetas que deciden mudarse a ella.

La sorpresa fue general. Yo misma era una incauta ciudadana de Vieja Tierra que me había mudado a Oz atraída por la obra del señor Turner.

—No tenía ni idea —reaccionó por fin Lady Adler—. Debe creerme, si hubiera sabido de su descontento con la política de Oz, nunca le hubiera invitado a esta reunión. Su asistencia no era obligatoria. Sin embargo, no puedo dejar que se cuestionen aquí las decisiones de la persona que dirige esta colonia. Si el Mago considera que su permanencia aquí es necesaria, no dudo que lo hará con razón. Mantener vivo e intacto el espíritu de Oz y conseguir que esta colonia florezca y se desarrolle implica algunos sacrificios.

—Su discurso sería muy loable, mi querida Lady Adler, si se refiriera usted a sacrificios voluntarios —replicó Turner—. Me parece que todos los presentes conocemos y amamos, o hemos amado en algún momento, el espíritu con el que se fundó esta colonia, pero su enfebrecido fanatismo por recuperar una época pasada les está llevando a cometer graves errores. ¿Sabían ustedes, por ejemplo, señores Creo, que el Consejo también pretende prescindir de las dosis regenerativas?

—¿Cómo? —preguntó el señor Creo, dirigiéndose a Lady Adler—, ¿quieren ustedes matarnos?

—No creo que este sea el lugar adecuado para discutir este tipo de cuestiones, que, además, no son de su incumbencia —contestó ella.

—¿Que no son de nuestra incumbencia? —replicó airado el señor Creo—. Si mi mujer y yo, y cualquiera en Oz que tenga nuestra misma edad, no recibimos nuestras dosis regenerativas, envejeceremos y moriremos en unas pocas semanas.

Lady Adler parecía abrumada. Aun así, se mantuvo firme:

—Nuestra labor es conservar el espíritu de Oz y revivir una época, un estilo de vida en el que no había servomecas, no existía la red, no había portales teletransportadores y, por supuesto, tampoco había dosis regenerativas. Cualquiera que no esté de acuerdo con eso, no debería vivir en Oz.

El señor Creo se levantó de su silla dando un fuerte puñetazo en la mesa.

—¡Marta, vámonos!

El señor Hardings se puso de pie.

—¡No! —exclamó—. No pueden salir ahí fuera con esta tormenta. Relajémonos todos, ¿de acuerdo?

—Los señores Creo lanzaron una mirada a la ventana, que casi parecía a punto de venirse abajo por la fuerza de la tormenta. Realmente no tenían opción—. Los asuntos del Consejo no deberían ser tratados tan a la ligera como lo estamos haciendo aquí —continuó Hardings—. Señor Creo, el tema de las dosis regenerativas no ha comenzado ni a ser cuestionado seriamente y le aseguro que muchos en el Consejo somos de la opinión contraria a la de Lady Adler.

La aludida se levantó también de la silla.

—Joseph tiene razón, señor Creo. Le pido disculpas —dijo dignamente—. Si mañana quiere abandonar mi casa está en su derecho de hacerlo, pero esta noche le ruego que permanezca aquí. Por favor, si son todos tan amables, ya que la cena ha terminado, pasen al salón contiguo donde se les servirán algunas bebidas y podrán relajarse un poco. Yo estaré de nuevo con ustedes en unos minutos —y dicho esto, desapareció por la puerta, llevándose las crispadas manos a la cara.

Creo que todos pensamos que quizá fuera mejor idea irnos a la cama y no alargar más aquella insalvable velada, pero como un rebaño obediente seguimos las órdenes de nuestra anfitriona. Pasamos a una estancia amplia, tan ricamente decorada como el comedor principal, donde había varios sillones, divanes, un mueble bar y un piano de cola. La tenue iluminación de los candelabros permitía observar el exterior desde los grandes cristales al fondo de la sala, que daban al jardín. La tormenta no cesaba y malévolos rayos desgarraban el cielo despiadadamente. Si no hubiera estado lloviendo, pensé, habríamos podido abrir los ventanales y el fragante perfume nocturno de las flores hubiera inundado la sala. De repente un trueno ensordecedor hizo pedazos mi pensamiento. Todos quedamos sobrecogidos. Jack Turner, en un arranque de benevolencia, o quizá porque a él también le asustaban los truenos, se sentó al piano. Una alegre pieza de música combatió los ruidos de la tormenta. El servomeca Louis comenzó a servir las bebidas. La señorita Locke se acercó al piano y, muy estirada, de espaldas a él, empezó a cantar, con una vocecilla aguda. El señor y la señora Creo se arrellanaron en un sofá, ahora mucho más tranquilos, y el señor Hardings, tras intercambiar algunas palabras con su prometida, abandonó la estancia.

Mientras bebía mi primera copa pensé que aceptar aquella invitación había sido un grave error. ¿Qué tenía yo que ver con toda aquella gente y sus desagradables muestras de mutuo odio? La segunda copa recorrió mi cuerpo como un bálsamo tranquilizador y a la tercera estaba convencida de que todos ellos eran mis mejores amigos. Qué horrible efecto de distorsión el del alcohol en mi joven mente.

Claire Hills se acercó a darme conversación:

—Debe estar usted algo confundida por todo lo que ha pasado aquí esta noche —me dijo.

—Sí, algo lo estoy —admití.

—Bueno, supongo que sabrá la relación previa a nuestro compromiso que existía entre mi prometido y la anfitriona. Ahora mismo Joseph ha ido a hablar con ella para intentar arreglar las cosas. Aceptamos esta invitación pensando que sería una buena forma de enterrar el hacha de guerra entre ellos, pero ya ve usted... Creo que no me tiene mucho aprecio...

—No se lo tome como algo personal. Es algo normal en su situación.

—Sí... Y respecto a lo que ha oído acerca de la política de Oz, espero que no se haya hecho una idea equivocada. Sé por Joseph que no todos los miembros del Consejo mantienen una postura tan radical. De hecho, el nuevo servicio postal es una innovación bastante original, ¿no le parece? —dijo, sonriendo.

—Sí, la verdad es que no es típicamente victoriano —admití, riéndome al recordar la opinión de Nicholas al respecto.

—Oz es un planeta maravilloso, señorita Lux. Es, en mi opinión, el mejor planeta para vivir en el universo. Mi hermana, sin ir más lejos, va a mudarse aquí el mes que viene.

—Oh, estará usted encantada —le dije cortésmente—. ¿De dónde son ustedes?

—De Ciberia. Toda mi familia es de allí. ¿Sabe qué, señorita Lux? Su vestido me parece uno de los más bonitos que he visto en Oz desde que llegué. Esos adornos verdes en las mangas me encantan. ¿Dónde se lo ha comprado?

—En Fairlie's —contesté rápidamente, dándole el nombre de la tienda a la que Nicholas vendía sus modelos.

—Oh, claro...

—Claire, querida —nos interrumpió la señora Creo—, ¿por qué no canta usted un poco ahora? Marian Locke acababa de terminar su cuarta interpretación y se preparaba para otra. Su aguda voz estaba taladrando nuestros tímpanos. Al escuchar la sugerencia de la señora Creo, abandonó la sala con aire ofendido. La señora Creo hizo un gesto con la mano, como indicándole a Claire que no debía darle importancia, y esta se levantó en dirección al piano. Antes de llegar, tropezó con una pequeña banqueta, que no pareció advertir en su camino. Una vez que recuperó equilibrio comenzó a cantar con la voz de un ángel. Pensé que la señorita Hills, al igual que todos en la reunión, había bebido demasiado. Los adornos de las mangas de mi vestido eran claramente rojos.

Me levanté y entré en la biblioteca, que se comunicaba con la estancia. Me causó tal impresión que tuve que sentarme en uno de los quietos y callados sillones que allí reposaban. La sala estaba cubierta de estanterías que llegaban hasta el techo, repletas y repletas de antiquísimos libros. No eran réplicas. Me llevé la mano a la boca conteniendo una exclamación, aunque allí nadie hubiera podido oírme. Desde la sala contigua, llegó amortiguado el sonido de los efusivos aplausos que los señores Creo y el señor Turner le estaban dedicando a Claire Hills, quién sabe si, más que por su maravillosa interpretación, por haberlos librado de la horrible voz de Marian Locke. Debió de ser cuando recostada en el sillón miraba las gotas de lluvia resbalar por el tragaluz de cristal en el techo, cuando me quedé profundamente dormida. Estuve allí durante varias horas. No recuerdo si tuve sueños, aunque es probable que mi subconsciente intentara ordenar toda aquella serie de sorprendentes sucesos que habían tenido lugar aquel día. Lo que sí recuerdo con claridad, y probablemente recordaré el resto de mi vida, es aquel horrible grito. El grito agudo y desgarrado que hizo añicos mi sueño. Aquel ominoso grito helado que me arrancó súbitamente de las profundidades oníricas para ir despertarme en una auténtica pesadilla.

Salí de la biblioteca corriendo y me encontré con el señor Turner, en la sala del piano, dirigiéndose hacia el comedor. Estaba pálido y sudoroso.

—¿Lo ha oído? —me dijo—. Creo ha sido la señorita Locke.

Ambos atravesamos el gran comedor y salimos al oscuro pasillo. Al fondo acertamos a distinguir algunas luces y las voces de otros invitados que como nosotros, acudían alarmados.

El horror de la escena que contemplamos en el hall de mansión se quedaría grabado para siempre en mi memoria. Sobre el suelo de madera, dos cuerpos yacían inertes. Turner, que casi había tropezado en su carrera con el de la señorita Locke, se agachó de inmediato para comprobar su pulso.

—Está desmayada —me dijo, mientras intentaba reanimarla abofeteando sus mejillas.

Miré al otro cuerpo y sentí que me fallaba la respiración. Parados junto a él, la señora Creo hundía la cabeza en el hombro de su marido, evitando contemplar la espantosa escena. El señor Creo se tapaba la boca con la mano y movía la cabeza de un lado a otro como si intentara negar lo que veían sus ojos.

Lady Adler, parada en la escalera, en camisón, sosteniendo un candelabro temblorosa, parecía a punto de desmayarse también. Los ojos fuera de sus órbitas; la mano crispada sobre el pasamanos para no perder el equilibrio y caer rodando escalera abajo.

Y sobre el suelo, en medio de la entrada, con la azul mirada ciega hacia el techo, los labios rígidos en una mueca de horror, y el pelo en desorden sobre la madera, yacía Claire Hills, con un puñal clavado en el corazón, y un charco de sangre que empapaba su vestido y se extendía a su alrededor como el funesto marco de aquella macabra obra.

De repente una figura apareció en lo alto de la escalera. Lady Adler se giró y la luz de su candelabro proyectó la sombra de Joseph Hardings, cuyo rostro sorprendido y aún inconsciente de la desgracia, se detuvo confuso:

—¿Claire? —pronunció con voz temblorosa.

Entonces sus ojos parecieron enfocar el cadáver de su prometida y su expresión se convulsionó horrorizada. Se lanzó escaleras abajo gritando:

—¡Claire! ¡Claire! ¿Qué ha pasado? Sin saber muy bien lo que hacía, casi en un acto reflejo, le detuve antes de que llegara hasta el cadáver.

—Por favor, señor Hardings —escuché mi voz temblorosa, saliendo de mí como si no me perteneciera—. No... no hay nada que pueda hacer por ella ahora y no puede destruir la escena del crimen. Tenemos que llamar a la policía para que vengan de inmediato.

El hombre se derrumbó abnegado por las lágrimas.

—Pero cómo... quiero decir... —tartamudeó el señor Turner. Había conseguido reanimar a la señorita Locke, que descansaba aturdida con la espalda apoyada en la pared. Se mostraba tan confuso como el resto de los invitados. Para la mayoría aquel era el primer cadáver que contemplábamos y el concepto de crimen nos resultaba tan remoto e improbable como la propia muerte.

—Sé que todos están consternados —me escuché decir—. Pero me temo que es evidente que la muerte de la señorita Hills —el señor Hardings, retenido entre los fuertes brazos de la señora Creo, ahogó un gemido—, ha sido debida a causas violentas... —lo cierto era que el vestido desgarrado, el pelo alborotado y sobre todo, aquel detalle del puñal clavado en el corazón, no dejaban lugar a muchas dudas al respecto.

—¿Quiere usted decir... —continuó el señor Turner— que uno de nosotros es responsable de esto? —todos miraron a los demás, evidentemente sorprendidos. Todos menos uno de ellos, todos menos el culpable se encontraban atrapados en una situación que jamás hubiesen imaginado.

—Lo que quiero decir es que debemos esperar todos reunidos, en el salón por ejemplo, a que llegue la policía y se haga cargo de esto. Lady Adler, ¿dónde está el teléfono?

—Está en el piso de...

—Me temo que eso no va a ser posible, señorita Lux —la interrumpió el señor Creo, con expresión compungida—. Mi mujer y yo nos hemos tomado la libertad de utilizar su teléfono hace un momento. Queríamos llamar a un cochero de Nueva Esmeralda para que viniera a recogernos. Hemos estado haciendo las maletas para marcharnos en cuanto fuera posible, pero nos han informado de que el puente del Oeste se ha derrumbado por la crecida del río y estamos completamente incomunicados. Las unidades voladoras de las fuerzas de seguridad fueron destruidas recientemente por orden del Consejo —el señor Creo dirigió una mirada fulminante a Lady Adler—. Así que pasarán al menos veinticuatro horas hasta que consigan repararlo.

Todos murmuraron horrorizados ante aquella noticia. De repente, algún resorte oculto en el fondo de mi conciencia se activó y, sacando fuerzas de flaqueza, me coloqué frente a ellos y les dije, con la expresión más serena que pude aparentar:

—Está bien. Como detective oficial reconocida por el cuerpo de policía de Nueva Esmeralda, asumo el control de la situación. Permanecerán todos ustedes confinados en el comedor. Todos estarán a la vista de todos y nos aseguraremos de que no haya huidas ni nuevas… agresiones. Ahora, examinaré la escena del crimen y después retiraremos el cadáver a un lugar donde posteriormente pueda examinarlo el forense…

—Elizabeth… —la señorita Locke se había levantado y atraída por algo que observaba en el cadáver de Claire Hills, se había quedado a un escaso metro del mismo. Ahora, miraba a Lady Adler con la expresión desencajada por algo que estaba a medio camino entre la indignación y la incredulidad. Todos miramos lo que señalaba la señorita Locke.

Entre los marmóreos y fríos dedos del cadáver, brillaba insolente y acusadora una imponente esmeralda.

4. Una explicación poco convincente

4. Una explicación poco convincente

Cuando entré en los establos había dejado de llover y el sol se asomaba con su pálida y fría luz del amanecer. El agua había dejado la madera húmeda e hinchada y los charcos en el suelo aún recibían gota a gota los últimos resquicios de la tormenta que se colaban por las grietas del tejado. Algunos caballos aún dormían. Otros relincharon inquietos al verme.

Nicholas estaba de pie, bajo una viga, apoyado en la pared y con los ojos en blanco. Probablemente, llevaba así, conectado a la red, desde que se había despedido de mí la noche anterior. Deseé ser como él y no sentir sueño ni cansancio. Llevaba casi veinticuatro horas sin dormir y estaba agotada. Puse la mano levemente sobre su brazo y enseguida giró los ojos. Sus pupilas violeta me miraron de arriba abajo. Antes siquiera de que me diera tiempo a articular palabra tenía su mano palpando mi garganta.

—Escucha Nicholas...

—Abre la boca —me ordenó y no tuve más remedio que obedecer—. Ciérrala. Respira profundamente. No hay ni rastro de resfriado ni inflamación de garganta ni nada. Así que ese servomeca os inoculó a todos antes de que os pusierais enfermos, ¿no?

—No, no nos dio nada, pero, escucha, hay alguien que...

—¿En serio? Qué extraño. Es completamente imposible. ¿Estás segura de que el servomeca no os inyectó nada? Estás cien por cien sana. Aunque tienes un aspecto horrible. ¿Bebiste demasiado ayer?

—No. Bueno, sí, pero eso ahora no importa. Escucha, Nicholas, anoche hubo un asesinato.

Nicholas sonrió.

—Repite eso. Me ha debido entrar agua en el sistema auditivo porque acabo de captar la palabra "asesinato" —dijo riéndose—. ¿Qué has dicho? ¿Anonimato? ¿Sindicato?

—¡Nicholas! ¡He dicho asesinato! Anoche apareció un cadáver en el suelo con un puñal clavado en el corazón, ni más ni menos.

—¿Estás de broma?

—¿Crees que tengo aspecto de estar bromeando?

—¿Quieres decir que en esta "emocionante" reunión en una casa de campo entre personas respetables,

71

se ha cometido un crimen? ¿Estás segura de que ellos no están de broma? Las probabilidades de que algo tan parecido a una novela de misterio ocurran en la realidad son muy remotas.

Por un momento reflexioné ante esa teoría. Pensé en la posibilidad de que todo aquello fuera una representación pactada, destinada a gastarme una desagradable broma. Casi deseé que fuera cierto. Pero los sucesos en las últimas horas habían sido tan horribles para todos, que resultaba impensable que no fueran reales.

—¿Qué probabilidad hay de que siete psicópatas me secuestren en una casa de campo y me hagan asistir a una horrenda representación?

—Aún menos, ciertamente. Aunque tratándose de la colonia de Oz…

—¡Nicholas! Necesito tu ayuda urgentemente.

—Está bien, cuéntamelo todo desde el principio.

Y eso hice. Le relaté a Nicholas con detalle todo lo sucedido a partir de que me dejara sola en mi habitación. Reproduje todas las conversaciones que recordaba haber oído palabra por palabra y le hablé del cuerpo sin vida de Claire Hills y de todo lo que había observado minuciosamente en la escena del crimen, antes de que hubiéramos retirado el cadáver. Le conté incluso cómo después de haber confinado bajo llave a Lady Adler, la principal sospechosa, en su habitación, y haber tomado declaración a todos los invitados, me había sentido débil y enferma y había vomitado. Le conté que estaba muy asustada y que le había echado de menos.

—Está bien, cálmate —me dijo—. Ya estoy aquí. ¿Por qué no me has avisado antes? Me habría encargado de todo.

—Porque no quería delatarte y porque eso hubiera añadido más confusión al asunto. Pensé que podía hacerme cargo de la situación yo sola. Pero ahora ya no estoy tan segura de eso —comencé a temblar de frío y de cansancio y Nicholas me abrazó. Me sentí por fin a salvo y segura entre sus brazos y deseé que fuera siempre así, que nunca más me tuviera que enfrentar sola a una situación como aquella. Que aquel momento no terminara nunca. Pero Nicholas me soltó.

—Lo has hecho todo muy bien. Estoy orgulloso de ti. Has demostrado que realmente puedes valerte por ti misma. Ahora yo te cuidaré mientras descansas, arreglarán el puente, la policía vendrá, se llevarán a Lady Adler y no tendrás que ver a esa gente nunca más.

—¡No! —protesté alarmada.

—¿Cómo que no?

—No podemos permitir que se lleven a Lady Adler porque ella no es la culpable.

—¿Qué? ¿Cómo…?

—Es evidente que alguien trata de incriminarla y yo he dejado que todos crean que me lo he tragado porque mientras sea así, no hay peligro de que el culpable escape o vuelva a cometer otro crimen. Mientras tanto, tenemos que averiguar de quién se trata y encontrar una evidencia que poder mostrar a la policía. Ya sabes cómo son. Vienen de Vieja Tierra. Probablemente no se hayan enfrentado a un crimen real en toda su vida. Encontrarán culpable a Lady Adler y no investigarán más. No podemos dejar que eso ocurra. Lady Adler no me cae bien, pero no es una asesina.

—¿Entonces, crees que alguien dejó a propósito el pendiente de Lady Adler junto al cadáver de Claire para incriminarla?

—Claro. Es tan obvio como aquellas pistas en el juego del robo al museo. Demasiado obvio para ser cierto. Probablemente el culpable no tuvo tiempo de pensar en nada más refinado. Los acontecimientos de la noche fueron caóticos e imprevisibles. Fue un crimen improvisado sobre la marcha. Si alguien estuviera a punto de matarte y tú lucharas por defenderte, arrancándole de un tirón uno de sus pendientes, ¿no crees que te llevarías algo de pelo y piel junto a él? Es ridículo. Examiné las uñas de Claire y estaban inmaculadas. Me extraña que no intentara defenderse porque las ropas estaban desgarradas. Yo... ni siquiera pude... —me estremecí al recordar el momento—, sacarle al cadáver la daga del pecho. Pensé que me iba a marear al contemplar... su rostro sin vida... la sangre...

—Está bien, está bien. Si quieres luego le echaré un vistazo. Igual hay alguna pista que has pasado por alto.

—El servomeca lo ha colocado en la bodega del sótano. Me parecía el lugar más adecuado. Podrías tratar de encontrar alguna huella en la empuñadura de la daga, aunque algo me dice que no encontraremos nada.

El culpable no se tomaría la molestia de incriminar a Lady Adler y dejar sus huellas en el arma homicida.

—¿De dónde salió el arma?

—Oh, es una de las dagas de la colección de armas que decoraba la pared. Eso también nos indica que el crimen fue completamente improvisado. Lady Adler jura y perjura que se dio cuenta de que había perdido el pendiente nada más salir del comedor pero no quiso volver a por él porque estaba muy alterada por la discusión. Dice que el cierre está algo roto, cosa que he confirmado, y que se le cae a menudo. Si eso es cierto, cualquiera de los invitados podría haberlo cogido.

—Una esmeralda sobre la mesa o sobre la alfombra no pasa desapercibida.

—Es cierto, pero estábamos todos conmocionados por la escena. Al menos yo. Y la bebida merma nuestra capacidad de atención.

—Realmente bebiste mucho ayer ¿verdad?

—Sí —confesé apesadumbrada—. Ojalá no lo hubiera hecho. No me hubiera quedado dormida en la biblioteca y quizá hubiera podido evitar que Claire Hills esté muerta.

—O quizá el asesino te hubiera matado a ti.

—Bueno, así al menos hoy no tendría este horrible dolor de cabeza. Oye, volvamos a la casa. Este lugar apesta o… Oh, no, yo apesto. Necesito un baño caliente y tumbarme un poco. El resto de los invitados están en sus habitaciones descansando, o eso espero. Y

Lady Adler no está ahora en posición de imponer sus normas.

Los primeros rayos de sol iluminaban los vacíos y silenciosos pasillos de la mansión, dándole un aspecto muy diferente del que había observado a mi llegada. Bajo aquella luz limpia y pura del alba las sombras se deshacían y con ellas el miedo y la angustia que atenazaban mi corazón. La calma tras la tormenta, pensé. Era difícil creer que horas antes, aquellos muros hubieran sido testigos de tan abominable crimen. Una mancha oscura en el suelo de madera de la entrada era el único resto de la tragedia. En mi ánimo, aquella mancha era como una oscura nube que amenazaba desde la lejanía con volver a convertir el día en noche y el cielo despejado en tormenta.

Tras un reparador baño, dejé que mi cuerpo descansara, tendido sobre la cama, y puse mi mente en pleno funcionamiento. Nicholas se sentó sobre la mullida alfombra y cruzó las piernas, con los ojos fijos en mí.

—¿No deberías dormir un poco?

—No tengo tiempo para dormir ahora —protesté—. La policía estará aquí esta noche y para entonces, debería haber resuelto este caso.

—Frieda, todas esas novelas que lees no te estarán volviendo un poco… ¿psicótica? No tienes que implicarte tanto con este asunto. No conoces a esas personas.

—No puedo evitarlo. Me pesa en la conciencia.

—¿Seguro que es sólo eso? ¿Seguro que no estás jugando un poco a hacerte la detective?

—Bueno, eso también —confesé, incorporándome a medias. Nicholas me conocía demasiado bien para molestarme en mentir—. Ocurrió todo tan rápido… De repente estábamos todos cenando y de repente Claire Hills estaba muerta en el suelo… Todo ocurrió aquí mismo. Tiene que haber alguna manera de averiguar quién lo hizo. No puede ser tan difícil. Y por otra parte… ¡Es tan horrible que alguien matara a Claire Hills que casi no puedo creerlo aún! Era una persona tan adorable. ¿Quién podría hacer algo así? —las lágrimas se me agolparon en los ojos, pugnando por salir—. No, espera, tengo que mantener la cabeza fría —respiré hondo y poco a poco las lágrimas fueron desistiendo en su empeño.

—Yo tengo la cabeza fría —contestó Nicholas—, y no puedo contestar a eso. No entiendo las motivaciones humanas. Son tan aleatorias para mí…

—No, no son en absoluto aleatorias —le corregí—. Veamos, de todos los invitados las únicas que sentían antipatía por Claire Hills eran Lady Adler, por despecho, y Marian Locke por pura competencia profesional y envidia. Curiosamente, hubiera pensado que Lady Adler era culpable, puesto que la escena tiene todos los componentes del crimen pasional, si alguien no se hubiera molestado en incriminarla de una manera tan obvia.

—Igual ha sido ella y se ha incriminado a sí misma para que tú pienses eso —dijo Nicholas, en un razonamiento típicamente meca. La frase resonó en mi cabeza, evocándome un montón de pensamientos, que se enredaron entre sí hasta formar un apretado nudo. Sacudí la cabeza y le respondí:

—Nadie tan enfermizamente enrevesado cometería crímenes pasionales. Una cosa no casa con la otra. Olvidemos esas teorías tan complicadas. Los humanos somos mucho más simples.

—Está bien. ¿Qué hay de esa Marian Locke?

—Ella tiene un motivo y es tan desagradable que no me resulta imposible imaginármela haciendo algo así. Cuando supuestamente encontró el cuerpo, bien pudo haber organizado la escena. Ese horrible grito que llamó la atención de todos y luego el desmayo, tan típico y exagerado. Propio de una mala actriz. Además fue ella la primera en advertir la esmeralda en la mano del cadáver. Me encantaría acusarla pero no tengo ninguna prueba y algo peor, tiene una coartada.

—Oh, una coartada —repitió Nicholas—, un dato objetivo y comprobable por fin.

Me levanté y saqué mi diario, que había guardado en el fondo de mi maleta, escondido entre mi ropa interior.

—Vaya, vaya —se burló Nicholas—, ese cuadernito jamás pensó que albergaría en sus páginas sucesos tan "emocionantes"…

—No tiene gracia, Nicholas —me quejé—. Apunté aquí todas las declaraciones de los invitados sobre lo que estuvieron haciendo mientras se cometió el crimen. Oh, ojalá no me hubiera dormido. Al menos podría corroborar algo de todo esto —dije, mientras pasaba las páginas rápidamente, de nuevo tumbada sobre la cama—. Veamos... aquí está. La señorita Locke afirma haber estado charlando con el señor Turner largo rato. Cuando salió de la sala del piano, ofendida por haber sido sustituida por Claire Hills, deambuló sin saber qué hacer por el comedor y decidió ir en busca de Lady Adler. Atravesó la entrada y subió las escaleras sin encontrarse con nadie, hasta llegar frente a la puerta del cuarto de la anfitriona. Estaba a punto de llamar cuando escuchó los gritos de una fuerte discusión que estaba teniendo lugar en la habitación. Sólo escuchó a Lady Adler, pero imaginó que estaba hablando con Joseph Hardings, puesto que todos los demás estábamos en la sala del piano. Así que volvió sobre sus pasos y en el pasillo se cruzó con los señores Creo que se dirigían a su habitación. No vio a nadie más hasta que llegó a la sala del piano y encontró solo al señor Turner. Afirma haber estado hablando con él durante aproximadamente dos horas. ¡Pobre señor Turner! He interrogado a todos por separado y Turner y los señores Creo confirman la historia de la señorita Locke, salvo que según ellos, existe un intervalo de tiempo mayor desde que ella abandonó la habitación hasta que se la encontraron de nuevo. Claire Hills cantó al menos dos canciones. No me cabe duda de que Marian Locke estuvo un buen rato escuchando tras la puerta la discusión que mantenían Lady Adler y el señor Hardings. Pero bueno, eso no la convierte en culpable de asesinato... Tras la larguísima charla con Turner, que él define como un mortificante monólogo de la señorita Locke, al que apenas prestó atención porque estaba sufriendo, por primera vez en su vida, los horribles síntomas de la fiebre, la interrogada abandonó la sala de camino a su habitación y fue entonces cuando descubrió el cadáver de Claire Hills en la entrada, gritó espantada y se desmayó. Turner confirma que apenas pasó un minuto desde que ella salió del cuarto hasta que oyó el grito, así que no pudo matarla y luego fingir la escena.

—¿Y antes? ¿No pudo matar a Claire después de cruzarse con los señores Creo y luego ir a charlar tranquilamente con el señor Turner?

—Bueno… cuando observé el cadáver comprobé que las articulaciones de los dedos, por ejemplo, y los brazos se movían con fluidez. Desde luego no soy ninguna experta, ya lo sé, pero creo que el crimen se cometió pocos minutos antes de que encontráramos el cadáver. No más de una hora. A las dos horas, que es lo que Turner y Locke afirman haber estado hablando, habría ya signos de rígor mortis.

Nicholas me miró como si acabara de sacar aquella información para calcular la hora del crimen de una de mis historias infantiles de las aventuras de Ultrated.

—Está bien —admitió sin más— ¿qué hay de los demás? ¿Cuáles son sus coartadas?

—Bien —continué mientras pasaba las páginas—, los señores Creo, por supuesto, apoyan mutuamente su historia. Dicen haber abandonado la sala del piano, junto a Claire Hills, dejando solo al señor Turner. Cuando pasaron por la entrada, afirman que Claire se empeñó en salir un momento al porche a tomar el aire.

—¿Con la tormenta?

—Sí. Le dijeron que era una tontería y que se enfriaría, pero ella insistió. Así que la dejaron allí y subieron solos las escaleras. Se cruzaron en el pasillo con la señorita Locke y entraron en su cuarto, donde permanecieron haciendo el equipaje y comentando lo desagradable que había sido la cena. Después fueron juntos a buscar un teléfono que localizaron en un despacho, en el piso de arriba y realizaron esa llamada de la que ya te he hablado. Luego, volvieron a su cuarto y no se movieron de allí hasta que escucharon el grito.

—La puerta —dijo Nicholas—. ¿Estaba abierta?

—¿Qué puerta?

—La de la entrada. Cuando bajó la señorita Locke, después de cruzarse con los señores Creo, ¿no vio la puerta abierta y a Claire Hills contemplando la tormenta en el porche?

—No, ella afirma que la puerta estaba cerrada.

—¿Y quién le abrió? ¿No la oyeron Turner y la señorita Locke llamar para que le abrieran?

Antes de que pudiera contestar llamaron a la puerta de la habitación. Nicholas se levantó a abrir. El servomeca Louis nos traía una bandeja con el almuerzo. Entró, la dejó sobre una cómoda y tan silencioso como siempre se marchó.

—Come algo. Te sentará bien —me ordenó Nicholas, mientras recogía la bandeja y me la acercaba, imitando los rígidos movimientos del servomeca.

—¿Podrías reprogramarlo para que hablara? Quizá él vio algo. Él pudo abrirle la puerta a Claire Hills. Quizá él fue el último que la vio con vida.

—No, no puedo. No tengo los códigos para hacerlo. Pero él no pudo ser testigo del crimen. Cualquier servomeca está programado para socorrer a un ser humano en caso de peligro, a no ser que su dueño, en este caso dueña, le ordene expresamente lo contrario y no creo que Lady Adler esté tan chalada como para haber anulado esa función. Si hubiera presenciado el crimen lo habría impedido. ¿Qué hay del prometido de Claire Hills? ¿Cuál es su coartada?

—No tiene coartada. Lady Adler y él estaban solos cuando el crimen se cometió. Ella dice que tras haber salido del comedor se fue directa a su cuarto. Joseph Hardings no tardó en llegar. Tuvieron una gran discusión. Ella dice que Joseph no dejaba de insistir sobre los asuntos políticos del Consejo. Le dijo que la cena había sido una buena muestra de cuál era la opinión pública en Oz y que ella y el Mago estaban comportándose como unos fanáticos. Insistió para que volviera a bajar y se disculpara con todos pero ella se negó. Le pidió que al menos hablara con Claire pero ella se negó de nuevo. Luego la conversación derivó en temas puramente personales sobre su relación pasada y los motivos que Joseph tuvo para abandonarla. Según Lady Adler, fue todo extremadamente desagradable y cuando él se marchó, ella se desvistió, se puso su camisón y se metió en la cama esperando que "el resto del maldito mundo desapareciera", cito literalmente. Se durmió enseguida y lo siguiente que recuerda fue el horrible grito que la despertó.

—¿Y Hardings?

—Él describe la discusión como una charla en la que amablemente quiso hacer entrar en razón a Lady Adler sobre su comportamiento en la cena. Dice que ella adoptó una postura irracionalmente terca y que no consiguió hacerla entender. Frustrado y triste, salió del cuarto y se dirigió al suyo con intención de calmarse un poco, antes de volver con los demás. Entonces, se tumbó durante unos segundos sobre la cama y se quedó profundamente dormido a causa del cansancio y la bebida. Lo siguiente que recuerda es el grito de la señorita Locke. Me costó mucho tomarle la declaración. Estaba desolado por la muerte de su prometida.

—Ya… Su historia es la que menos creíble parece.

—Si no fuera porque yo me quedé dormida de la misma forma, te daría la razón. Si presuponemos que Lady Adler es inocente, él es el único que no tiene coartada, pero también es el único que no tiene móvil. ¿Por qué querría matar a la persona a la que ama?

—¿No decías que era un crimen pasional?

—Bueno, si Joseph Hardings bajó, abrió la puerta a su prometida, habló con ella y después de que ella le dijera que pensaba dejarlo o que le estaba engañando o qué se yo, él decidió matarla allí mismo, creo que nunca podremos probarlo.

Nicholas reflexionó unos instantes mientras yo mordisqueaba un panecillo de mi bandeja. La sopa volvía a estar terriblemente amarga, pero tenía tanta hambre que me la tomé toda. Definitivamente, aquella no era la especialidad del servomeca.

—¿Por qué dices que es el único que no tiene móvil? Has dicho también que las únicas con motivos para querer ver a Claire Hills muerta eran Lady Adler y la señorita Locke.

—Es verdad, pero curiosamente, ver a Lady Adler entre rejas por este asunto o simplemente envuelta en un escándalo y fuera del Consejo, beneficiaría a todos, incluyéndome a mí. ¿Sabes que intentan permitir la entrada de mecas libres a Oz y ella planea impedirlo? Imagínate, podrías salir de casa sin esas gafas y llevar una vida normal en la ciudad.

—Oh, es muy considerada tu preocupación por mí, de verdad que sí, hermanita, pero no sé de dónde sacas la idea de que yo preferiría llevar una vida normal que implicara relacionarme con alguien en esta colonia...

—Ya, bueno —admití—. Aparte de eso está Jack Turner, que es claramente simpatizante de los mecas y, además, está retenido en Oz por culpa del Consejo. Y los señores Creo, que tendrán que abandonar el planeta si finalmente se prohíben las dosis regenerativas...

—Jack Turner me cae bien. Espero que él no sea el asesino. ¿Por qué no te echas un novio así, Frieda? Estás en esa edad, ¿no?

—¡Nicholas! —protesté, ruborizándome de inmediato—, ¿qué... qué tipo de relevancia tiene eso ahora? Estamos en medio de una investigación muy seria. Cómo se te ocurre... Además, no me hace ningún caso —añadí en un murmullo—. Olvídalo. Centrémonos en el caso.

Nicholas permaneció callado unos instantes, mientras yo terminaba mi almuerzo. Después de un rato me miró, haciendo una mueca de disgusto.

—Intento reproducir los hechos en mi cabeza, según los datos que me has dado, pero... Frieda, vuestra percepción del tiempo es horriblemente subjetiva, por no hablar de tu extensa experiencia observando cadáveres y fijando la hora de su muerte... —añadió sarcásticamente—. La policía meca existe por algo en Vieja Tierra. Con los medios adecuados hubiéramos resuelto este caso en segundos. No, con los medios adecuados nunca hubiera muerto nadie.

—Ya lo sé, pero esto es lo que hay —dije cerrando mi diario de golpe. Estaba cansada y empezaba a tener mucho sueño.

Nicholas no dijo nada más y yo también me abandoné a mis pensamientos. Deambulé por el cuarto intentando encontrar alguna teoría y sobre todo la forma de probarla. Los protagonistas de mis novelas preferidas solían dar siempre con algún dato clave que les permitía encajar todas las piezas. Aunque en este caso no había demasiados cabos sueltos. Nada de exóticos venenos ni objetos inexplicables junto al cadáver. La escena del crimen, el arma, el pendiente perdido de Lady Adler... todo era excesivamente simple. Quizá ella era realmente culpable y yo estaba enredándome inútilmente con extrañas teorías fruto de mi afición por las novelas de misterio. Quizá debiera dejar todo en manos de la policía tal y cómo había sugerido Nicholas y olvidarme del asunto.

Me tendí de nuevo sobre la cama. Estaba tan cansada... El silencio era absoluto. El resto de invitados estarían durmiendo probablemente. Tal vez hubieran pedido al servomeca que les inyectara un somnífero. Tal vez yo debiera pedirle lo mismo a Nicholas. Tal vez...

5. Post tenebras, Lux

Cuando volví a abrir los ojos mi habitación estaba completamente a oscuras. Era de noche. Me incorporé alarmada.

—¡Me he dormido! —grité.

—Necesitabas dormir. Te puse un poco de somnífero en la sopa —dijo la voz de Nicholas desde un lugar a mi izquierda. Sin embargo no pude identificar su silueta en la penumbra. Miré a mi derecha y distinguí claramente su cuerpo, de pie, al lado de mi cama. Sólo su cuerpo. La cabeza no estaba.

—¿Qué… qué está pasando? —pregunté nerviosa. Estaba a punto de ponerme a gritar.

—Tranquilízate. No he sido decapitado por el malvado asesino. Simplemente estaba llevando a cabo un experimento que ha salido mal. Respira hondo, no te asustes y enciende esos candelabros, a tu lado, encima de la mesilla de noche —dijo la voz de Nicholas a mi derecha.

Obedecí su orden con manos temblorosas y cuando pude contemplar la escena a la luz de las velas, deseé haber permanecido a oscuras. Otra vez me había dormido y otra vez había despertado en medio de una pesadilla. La cabeza de Nicholas estaba sobre una cómoda. La sangre goteaba desde su cuello rebanado y formaba un oscuro charco sobre la alfombra. Los ojos de Nicholas, perfectamente activos siguieron mi mirada.

—Oh, no pensé que mancharía tanto —la cabeza de Nicholas movía la boca pero su voz era metálica. Supuse que le faltaba algún órgano con el que producir una voz típicamente humana—. Siempre se me olvida lo engorrosa que es la sangre cuando secciono alguno de mis miembros y nunca había probado con la cabeza. Uf, la parte orgánica de mi cuerpo es un fastidio. Pero no te preocupes, el servomeca de Lady Adler parece un tipo competente y el color de la alfombra es muy sufrido. No tiene por qué quedar mancha. Aunque si la meten en la cárcel por asesinato a él le desconectarán y a ella tampoco creo que le importe mucho…

—¡Nicholas! —le interrumpí enfadada—. ¿Quieres explicarme qué hace tu cuerpo en la otra punta de la habitación?

—Oh, eso. ¿Bueno, sabes que adquirí recientemente en Ciberia un dispositivo para controlar mis órganos a distancia? Es ilegal pero en Vieja Tierra no lo hubiera conseguido, ya sabes lo puntilloso que es papá con las leyes, y me parecía bastante práctico. Lo es, por ejemplo, cuando dejo uno de mis ojos en una habitación para vigilarte y me voy a otra o salgo a la calle.

—¿Me vigilas a escondidas?

—Constantemente. De hecho, si hubieras llevado un ojo mío contigo durante la cena ahora tendríamos datos de sobra para saber quién es el asesino. Pensé en fabricarte una especie de colgante con él, pero habría sido algo extravagante incluso para el estilo de Oz...

—¡Nicholas! ¡Al grano! —dije señalando su cuerpo decapitado.

—Está bien, está bien. Me aburría mientras dormías y se me ocurrió seccionarme la cabeza, dejarla aquí y comprobar que el resto de mi cuerpo tenía movilidad autónoma suficiente para darme una vuelta por la habitación. Como ves, no llegué muy lejos. Esos mecas idiotas de Ciberia no saben enchufar dos cables sin equivocarse. Los buenos expertos en robótica están en Vieja Tierra o se largaron al espacio profundo. En Ciberia no construyen nada que no salga defectuoso. Jamás volveré a confiar en nada que no haya fabricado yo mismo... Y ahora, por favor, después de esta interminable espera hasta que despertaras, ¿podrías conectarme de nuevo la cabeza en su sitio? Mi sistema regenerador sí es de calidad, afortunadamente, y el cuello habrá cicatrizado en unas dos horas. Podré moverme para cuando esté aquí la policía.

Mientras Nicholas hablaba, yo sólo podía mirar el oscuro charco de sangre sobre la alfombra. Estaba atrapada en la fascinación del horror que me producía. Era el segundo charco de sangre que contemplaba en dos días. Era exactamente igual que la sangre derramada sobre la madera en torno al cuerpo de Claire Hills.

—¡Nicholas! —grité—. ¡Repite eso último!

—¿El qué? ¿Lo de mi sistema regenerativo o lo de los idiotas de Ciberia y sus órganos defectuosos?

—¡Todo! ¡Oh, cómo he podido ser tan idiota! ¡Estaba tan claro! Nicholas, tú nunca has estado en presencia de Claire Hills, ¿verdad? El día que llegamos, ella no entró al comedor con la bandeja hasta que tú te marchaste.

—Sí, supongo, yo no la vi. Pensaba ir a examinar su cuerpo en cuanto terminara mi experimento pero, como ves, no me ha sido posible.

—Tengo que ir ahora. ¡Tengo que bajar a la bodega y asegurarme!

—¿Qué? ¿De que estás hablando? ¡No vas a ir sola a ningún sitio!

—Está bien. No iré sola. Pero no puedo esperarte dos horas —dije, mientras agarraba la cabeza de Nicholas por la cresta y la llevaba conmigo hasta la puerta.

—¿Qué crees que estás haciendo? Frieda, te prohíbo terminantemente que sigas con esto. ¡Me estás manipulando contra mi voluntad! ¡Esto va en contra de la Carta de los Derechos Mecas! —la mandíbula de Nicholas se movía frenéticamente, al igual que sus ojos, que giraban hacia arriba intentando incluirme en su campo de visión, mientras su cabeza entera se balanceaba colgada de mi mano.

—Aquí eres un residente ilegal. No tienes derechos. Estate quieto. Tu cabeza pesa muchísimo. Si no dejas de gesticular, te dejaré aquí, bien lejos de tu cuerpo. Drogarme sin mi permiso también cuenta como manipulación. Estamos empate. Oh, esa sopa amarga... como aquel caldo de pollo que evitó que nos pusiéramos enfermos... ¿Cómo he podido ser tan tonta? ¡Todas las coartadas parecen ciertas porque son ciertas! ¡No estamos en el pasado! Las circunstancias del presente no son las mismas que en esas antiguas novelas...

—Vaya, eso es exactamente lo que no paro de decirte desde que nos mudamos a este planeta de enfermos mentales obsesionados con el pasado...

—Shhhh... —le mandé callar. Había salido al pasillo. El servomeca no había encendido los candelabros y la oscuridad era absoluta. Me detuve paralizada.

—Ahora qué —dijo Nicholas en un tono mucho más bajo—, ¿has recapacitado sobre lo estúpida que es esta excursión nocturna?

—No, es que no veo absolutamente nada.

Nicholas chasqueó la lengua, molesto. De repente, de sus ojos surgieron dos haces de luz que iluminaron el pasillo.

—¿Mejor?

—Sí, gracias —murmuré.

No había nadie a la vista. Las puertas de todas las habitaciones estaban cerradas. Contuve la respiración.

Esperaba que a ningún invitado se le ocurriera salir en aquel momento y sorprenderme en tan insólita situación.

Avancé sigilosamente por el tenebroso pasillo, como una de esas damas de las novelas victorianas, sólo que en vez sujetar la luz de un titilante candelabro, para iluminar mi camino, llevaba la cabeza de mi hermano. Bajé por las escaleras de la mansión hasta llegar a la entrada. Otra vez las sombras habían tomado la casa y la oscuridad, más densa que nunca, volvía a oprimirme la garganta, como una garra helada. Intenté no pensar en ello, pero me parecía seguir viendo aquel charco de sangre en el suelo. Tenía que cerciorarme de que lo que pensaba era cierto. Entonces el miedo se disiparía como las sombras con la llegada del alba.

Llegué a la puerta de la bodega, en la base de las escaleras. Descorrí el cerrojo y empujé con cuidado para evitar que los goznes chirriaran. Los ojos de Nicholas iluminaron una angosta escalera de madera cuyo final se tragaba la oscuridad. Era allí donde habíamos dejado el cadáver de Claire Hills, envuelto en una sábana, tal cual lo habíamos encontrado, a la espera de que lo recogiera la policía, rígido y frío, empezando ya a descomponerse.

Cerré la puerta y bajé los peldaños con cuidado. La madera crujió. El silencio era absoluto. Una vez abajo, los ojos de Nicholas giraron reconociendo la estancia e iluminando lo que teníamos a nuestro alrededor. A ambos lados estaban apilados grandes barriles de madera y estanterías llenas de botellas. Justo en el centro, sobre una mesa, descansaba un bulto alargado envuelto en una sábana blanca. Me acerqué y alargué el brazo. Me di cuenta de que estaba temblando y respiré hondo. Levanté la cabeza de Nicholas a la altura de mi pecho, para que pudiera observar, y di un tirón de la sábana. Sobre la mesa de madera, estaba su abultado vestido, su colgante, sus pendientes y hasta su tocado de plumas. Pero no había ni rastro del cuerpo de Claire Hills.

—Lo sabía —murmuré—. ¿Pero para qué habrán dejado las jo...?

El crujido de la puerta a mi espalda, hizo que me girara bruscamente. En tan sólo unos segundos, la puerta se volvió a cerrar y escuchamos el sonido del cerrojo. Antes de que fuera consciente de que estábamos encerrados, escuché el tintineo de un objeto de cristal que caía por la escalera y una pequeña llama de luz que lo acompañaba.

—¡Aléjate! —gritó Nicholas—. Pero no me dio tiempo a reaccionar. Los haces de luz de sus ojos iluminaron el objeto. Era una botella llena de un líquido oscuro con una mecha encendida. Quise obedecer a Nicholas, quise gritar, pero la explosión me lanzó hacia atrás y choqué contra la pared. Había cristales rotos por todas partes. Intenté moverme pero una estantería había caído sobre mi pierna. El suelo, lleno de líquido, ardía. La escalera y las estanterías también. Apenas podía ver por el humo. Apenas podía respirar. La cabeza de Nicholas, tirada a mi lado, sangraba. Tenía un cristal incrustado en la mejilla.

—Lo siento, lo siento mucho —intenté decirle. Pero la tos me ahogaba.

—Aguanta, Frieda. Por favor, aguanta —me dijo él, con su voz metálica en un susurro.

Miré hacia arriba. Las llamas iluminaban toda la bodega. Pegados al techo, dos pequeños tragaluces de cristal daban al exterior. Si tan sólo pudiera moverme, pensé, y lanzar algo para romperlos. El calor era sofocante, las llamas se acercaban y ya no quedaba mucho oxígeno que respirar. De repente, a través de los cristales sucios distinguí unas pupilas violeta que me observaban. Y entonces, la oscuridad me venció.

Lo siguiente que recuerdo es de nuevo aquellas pupilas violeta a escasos centímetros de mi rostro y oír de nuevo mi tos y volver a respirar. El aire de la noche entró en mis pulmones y me devolvió a la vida. El servomeca nos había salvado. A mi lado, la cabeza de Nicholas, sobre la hierba, cerraba los ojos con fuerza.

—Pensé que te habías muerto. ¡Pensé que te habías muerto! —repetía—. No vuelvas a hacerlo nunca, Frieda. No vuelvas a morirte.

El servomeca, tras haberme reanimado, me había inyectado un calmante y me estaba poniendo parches en las heridas. Tenía cortes y sangraba prácticamente por todo el cuerpo. Entonces, se levantó y se marchó.

—No te muevas —me ordenó Nicholas—. Ha ido a por algo para entablillarte la pierna. La tienes rota. Aún no puedo creer que respires.

—Saldré de esta —le dije sonriendo.

—Eso espero. Me has dado un susto de muerte. Te habría hecho yo mismo la respiración boca a boca, pero sabes qué, me has pillado sin pulmones a mano —Me alegré de volver a escuchar el sarcasmo en su voz. Era buena señal.

—Tuvimos suerte de que el scrvomeca nos encontrara...

—No fue suerte. Le llamé yo. Emití una llamada que él captó. Exactamente igual que hizo esa maldita Claire Hills, para que le abriera la puerta.

Quedaba sólo una hora para el amanecer, cuando la policía de Nueva Esmeralda llegó por fin a la mansión. Hice que todos los invitados se reunieran en la sala del piano y, acompañada por el sargento de policía, hice mi espectacular entrada en escena, caminado con muletas y con varios parches visibles, pegados a mi cara.

—¿Qué le ha pasado? —gritó la señorita Locke con su voz aguda.

—Todo a su tiempo —contesté—. Hay muchas cosas que quiero contarles antes.

—¿Por qué nos retienen aquí más tiempo? —protestó el señor Creo—. Usted ya nos tomó declaración. No me diga que tenemos que volver a repetirlo todo...

—No, les he citado aquí porque quiero devolver públicamente este pendiente de esmeralda a su dueña —dije mientras se lo entregaba a Lady Adler, que sentada en un rincón, intentaba evitar las hostiles miradas del resto de los invitados—, y ya de paso, demostrar su inocencia. Ella no mató a Claire Hills.

—¿Qué? —preguntó el señor Turner—. ¿Entonces quién lo hizo?

—Nadie lo hizo. No está muerta.

—¿Quiere usted decir que sigue con vida? —preguntó la señorita Locke, visiblemente decepcionada por esa idea —. Eso es imposible. Todos vimos su cadáver...

—Viva... bueno, en una acepción clásica de esa expresión, no se podría admitir del todo que estuviera viva. Su corazón fue atravesado por un puñal, pero a estas horas ya debe de estar regenerándose. La parte de su cuerpo no orgánica y desde luego su conciencia nunca fue dañada...

Todos gesticularon con evidentes muestras de sorpresa. Todos menos Joseph Hardings.

—¿Está usted diciendo...? ¡No! Eso es imposible... —comentó la señora Creo.

—Claire Hills es una meca libre —afirmé—. Un modelo inteligente y desprogramado. Consiguió unos bonitos ojos ilegales en Ciberia, de aspecto orgánico y bastante defectuosos, por cierto, y llegó a Oz, haciéndose pasar por humana. Es lo que ha hecho desde entonces.

—Pero Joseph... —murmuró Lady Adler. El señor Hardings mantenía la mirada baja y el semblante serio.

—Me temo que su prometido estaba al corriente. El amor entre ellos no es fingido. De hecho, es un vínculo tan fuerte que les ha llevado a cometer algunas locuras

¿verdad, señor Hardings? Ya que no está usted muy hablador esta noche, yo le contaré a nuestros invitados lo que realmente sucedió.

Claire Hills y Joseph Hardings aceptaron la invitación de Lady Adler, sin haber planeado nada de esto. Fue un acto de buena fe entre ambas partes. Quizá así los tres pudieran enterrar el hacha de guerra y tal vez, el señor Hardings pudiera disuadir a su exprometida de que se opusiera a su propuesta para permitir la entrada de mecas libres en Oz. Eso permitiría que la señorita Hills, tal vez con una nueva identidad, prescindiera por fin de sus molestos órganos defectuosos y pudiera llevar una vida sin mentiras, siendo realmente ella en compañía del humano que amaba. Cuál fue su sorpresa, cuando al llegar a la mansión les recibió un servomeca. ¿Quién hubiera esperado que Lady Adler precisara los servicios de una de esas máquinas que odiaba? Y además, un modelo inteligente que reconoció en un instante la verdadera naturaleza de la señorita Hills. No sé si saben ustedes que dos mecas no tienen más que verse para reconocerse entre si como mecas, sin importar el color de sus ojos. Afortunadamente para la pareja, el servomeca estaba programado por Lady Adler para no hablar. ¿Pero que pasaría si un buen día decidía tener una charla con él? ¿Qué pasaría si el servomeca facilitaba esa información a su dueña?

Estoy segura de que la privilegiada mente de la señorita Hills no dudó ni un nanosegundo sobre cuál era la mejor opción: Eliminar a Lady Adler de manera sutil, haciendo que pareciera un accidente o una súbita enfermedad y dejar que las autoridades desconectaran entonces al servomeca. Pero no creo que el señor Hardings estuviera de acuerdo con esa opción. Después de todo, había mantenido una relación sentimental con Lady Adler durante años. No podía eliminarla sin más. Entonces pusieron en marcha un plan alternativo. Un plan improvisado, que no era perfecto pero que podría dar resultado. Claire Hills, ante la imposibilidad de inyectarnos sin que nos diéramos cuenta, nos administró a todos una fuerte medicina en nuestra sopa, cuando llegamos, porque de nada le servían a su plan unos invitados enfermos retenidos por la fiebre en sus habitaciones. Todos nos pusimos bien de inmediato, salvo el señor Turner, que al llegar antes, perdió la ocasión de recibir su dosis.

En la cena, Claire Hills no perdió la oportunidad de hacer evidente ante el resto de invitados la antipatía que sabía que Lady Adler le profesaba. También dio muestras involuntarias de lo deficiente de su visión al derribar una copa, tropezarse con una banqueta y confundir el color de mi vestido. Pero todos habíamos bebido y los humanos cometemos ese tipo de errores a menudo... Durante la cena, Joseph Hardings, con sus hábiles dedos de prestidigitador recogió el pendiente perdido de Lady Adler. Sin duda sería una buena prueba para incriminarla. Estoy segura de que a ambos no les importaba que finalmente Lady Adler fuera condenada o absuelta por falta de pruebas. Con que resultara detenida y se la investigara sería suficiente para apartarla un tiempo de su carrera política y que la ley de los mecas libres prosperase. Y sin duda, la policía desconectaría a su servomeca en el mismo momento de su detención.

Claire Hills, en la sala del piano, me comentó que su hermana se mudaría a la colonia dentro de un mes.

—A mí también me lo dijo —me interrumpió la señora Creo.

—Y a mí —dijo el señor Turner.

—Pues bien —continué—, quizá no fuera su hermana. Quizá fuera una versión ligeramente modificada de sí misma, ¿verdad, señor Hardings? Tras la tragedia, y esperando un tiempo prudencial, a nadie le resultaría extraño que usted encontrara consuelo en su dulce cuñada… La señorita Hills, divulgando casualmente la noticia, se estaba preparando el terreno para reaparecer en escena, bajo una nueva identidad, si finalmente la ley de los mecas no prosperaba.

—¿Y el cuerpo? —preguntó el señor Turner, visiblemente sorprendido—. Lo dejamos en la bodega y cerramos la puerta por fuera…

—Ahora llegaremos a eso —le dije—. Continuemos con la noche del crimen. Joseph Hardings entregó el pendiente a su prometida y subió a hablar con Lady Adler, tal vez con la última esperanza de que todo aquello no fuera necesario. Quizá movido por el afecto que se habían profesado hace años. Pero sus intentos fueron inútiles y realmente volvió a su cuarto, triste y apesadumbrado, preparándose para su actuación.

Claire Hills, mientras tanto, salió al porche de la entrada para no volver a cruzarse con nadie. Rasgó sus vestidos y se alborotó el pelo, como si hubiera sido víctima de un ataque. Esperó un rato y llamó al servomeca, emitiendo una señal silenciosa, para que le abriera la puerta. Después, cogió una de las dagas de la pared y se atravesó el corazón, cayendo de espaldas y perdiendo la suficiente sangre como para que cualquier humano inexperto, que no conociera su auténtica naturaleza, la considerase un cadáver en toda regla.

Un poco más tarde, la señorita Locke la encontró, alarmando a todos con uno de sus inimitables gritos. Y esta parte de la historia ya la conocen ustedes...

Todos me miraban con expresión atónita. Todos menos el señor Hardings, que seguía con los ojos fijos en el suelo, y Lady Adler, que le dedicaba una mirada, anegada en lágrimas y llena de odio.

—Claire Hills debió de escapar de la bodega a las pocas horas de que nos recluyéramos en nuestras habitaciones. Llamó de nuevo al servomeca para que le abriera y dejó su vestido y sus joyas a fin de que, tras provocar un incendio, quedara algo, con lo que los escasos medios técnicos de la policía de Nueva Esmeralda se dieran por satisfechos para identificarla.

—¿Incendio? —preguntó el señor Creo.

—Sí, mientras ustedes descansaban, el señor Hardings ha pasado todo el día jugando a los químicos y reviviendo los viejos tiempos del siglo XX con la fabricación de una bomba casera. Señor Hardings —me dirigí a él—, si hubiéramos puesto el cadáver en cualquier otra habitación, ¿habría quemado usted toda la casa? ¿Nos habría matado usted a todos como ha intentado esta noche matarme a mí? —dije señalando mi aspecto.

El señor Hardings levantó por fin la mirada sobresaltado.

—¿Cómo? —preguntó.

—He estado a punto de morir en la pequeña explosión que provocó.

—Yo no... no sabía que usted estaba... —tartamudeó delatándose. Era un buen hombre y había cometido una locura por amor. Pero había puesto en peligro a muchas personas.

—Deténganlo —ordené a los agentes.

El señor Hardings no se resistió.

—No puedo creerlo, Joseph —dijo Lady Adler, enferma de rabia—, me dejaste por una... una cosa...

—¡Ella no es una cosa! —respondió él, con dureza—. Y no es verdad —dijo aludiendo a mi declaración—, ella nunca pensó en matarte. Ella no habría hecho eso.

—En qué te has convertido, Joseph... —dijo Lady Adler con desprecio.

—¡No! En qué te has convertido tú... Antes no eras así —contestó él. La sinceridad en su voz era mucho más hiriente que el desprecio de Lady Adler.

Los agentes sacaron al señor Hardings de la habitación.

—Lady Adler, vuelva a programar a su servomeca para que pueda hablar. Él es el testigo fundamental. Y si el tribunal de Nueva Esmeralda es tan obtuso como para no aceptar la palabra de un meca —dije con todo el desdén que pude imprimir a mi voz—, revisen su memoria visual. Curiosamente, la máquina a la que tenía tanta prisa por desconectar, la ha salvado. Y ustedes —dije dirigiéndome al resto—, ya pueden marcharse si lo desean.

La señorita Locke se acercó a Lady Adler, para expresar unas patéticas muestras de fingida compasión. Los señores Creo se levantaron de inmediato y se dirigieron a la salida. Antes de irse, la señora Creo aferró mi brazo con su regordeta mano y me susurró:

—No es usted tan tontita como pensábamos.

El señor Creo lo confirmó asintiendo con su enorme cabeza. Lo cierto es que viniendo de unos marcianos, podía considerarlo un cumplido.

El señor Turner se puso también en pie. Parecía profundamente perturbado por toda aquella historia.

—Vaya, ha derrotado usted un plan trazado por una meca...

—Bueno, no tiene mucho mérito. La inteligencia de los mecas es claramente superior a la humana, pero no suelen calcular bien nuestras reacciones y a menudo subestiman nuestra inteligencia. El señor Hardings no supo asesorar bien a su prometida.

—¿Cree usted que volverá a aparecer?

—¿Claire? —pregunté—. Claro que sí. Se entregará. No abandonará a Joseph.

—Es que no entiendo... no veo por qué una meca, una meca libre e inteligente...

—Por amor —respondí yo—. Los mecas tienen voluntad propia, son personas. Su mente y su cuerpo no funcionan igual que los nuestros pero desarrollan sus afectos libremente, al igual que nosotros. Es absolutamente increíble lo que puede llegar a hacer un meca por un ser humano al que ama.

6. Epílogo

6. Epílogo

De vuelta, en el vagón de tren, Nicholas y yo volvíamos a estar frente a frente en nuestro compartimento. La luz de la mañana entraba por la ventanilla y deslumbraba mis soñolientos ojos. Tenía el ritmo de sueño tan cambiado como si acabara de mudarme de planeta.

Nicholas, con el cuello de su traje subido hasta arriba, permanecía inusualmente callado. Justo cuando estaba a punto de quedarme dormida, a pesar del caótico traqueteo del vagón, comenzó a imitarme:

—Querido diario: Qué fin de semana taaaaan emocionante —se burlaba—. Al final todo se resolvió y mi discurso final fue maravilloso...

—¿Por qué hablas con una mezcla de voz metálica y voz normal? —contraataqué.

—Oh, creo que todavía se me sale el aire por algún lado —dijo llevándose la mano al cuello vendado.

Los dos nos echamos a reír.

—Nicholas —me interrumpí bruscamente al caer en la cuenta—. ¿Resolviste el caso antes que yo?

Me miró fijamente reflexionando durante unos segundos.

—¿Me estás preguntando si sería capaz de engañarte y hacerme el tonto para que tú fueras feliz resolviendo el caso con tu patética lentitud humana?

—Exacto.

—Absolutamente sí —respondió—. Pero entre que seas feliz un rato antes de morir y que seas infeliz pero no corras riesgos, elijo siempre, sin duda, la segunda opción. No, Frieda, no resolví el caso. Si no, no hubiera realizado este tonto experimento —señaló de nuevo su cuello—, y no habrías sufrido ningún daño.

—Al final me salvaste como siempre —le dije—. Y yo cometí una imprudencia, poniéndote a ti también en peligro.

Nicholas, con su habitual costumbre de ignorarme simplemente, cuando pensaba que no tenía razón, continuó contestando a mi anterior pregunta:

—Aunque claro, los datos que recabaste eran... —se encogió de hombros—. ¿Cómo decirlo? Eran lamentables. Si me hubieras dicho que la víctima no calculaba bien la profundidad de campo a la que se encontraban los objetos y además era daltónica, no habría tardado ni un nanosegundo en valorar la posibilidad de que fuera una meca encubierta, usando órganos de visión defectuosos.

—No le di importancia en el momento —me justifiqué—. No lo analizo absolutamente todo, como tú. Mi mente no funciona así. Almacena datos y luego, inconscientemente, los va intercalando, hasta que da con la clave.

—O sea, que es lenta.

Resoplé molesta y él se echó a reír.

—Bueno, bueno, no te enfades —continuó él—. Resolviste el caso y ahora serás Frieda Lux, la detective más famosa de todo Oz.

—No, no lo seré.

—¿Por qué? ¿No ha sido tan divertido como esperabas?

—Bueno, la verdad es que me encantó llevar a cabo ese discursito final —confesé—, pero el típico incendio en el que la intrépida detective y su ayudante casi mueren en su empeño por descubrir la verdad, me ha quitado las ganas de seguir con esto. No, no fue divertido.

—Bueno, pues ahora que voy a marcharme por fin de Oz, antes de que ese servomeca pueda hablar y me delate a mí también, deberías buscarte una profesión.

—Nos marcharemos.

—¿Nos? —Nicholas estaba realmente sorprendido.

—Sí, no voy a dejar que vayas solo a ningún sitio. ¿Quién iba a cuidar de ti? —le dije sonriendo.

—¿Vaya, y qué pasa con el maravilloso mundo de Oz?

—Ya no lo encuentro tan maravilloso. Me parece romántico intentar rescatar lo bueno de una época pasada, pero no veo qué sentido tiene repetir sus errores. La sociedad de Oz acabará siendo tan hipócrita como lo fue su modelo. Al principio parece un juego y resulta divertido, pero después de lo que he visto este fin de semana, no quiero seguir participando en esto. No quiero tener que relacionarme con esta gente...

Nicholas no aprovechó para decirme que ya me lo había advertido. Simplemente, asintió en silencio.

—¿Sabes qué? —le dije.

—¿Qué?

—Que tú eres la mejor persona que conozco.

Nicholas no dijo nada. Fijó la mirada en algún punto lejano del paisaje que atravesábamos y sonrió. Supe que escuchar aquello le había hecho feliz.

Me senté a su lado, coloqué mi pierna rota con cuidado sobre el asiento y mi cabeza en su regazo.

—¿Bien, y adonde iremos? —le pregunté—. ¿Qué tal Avalon? Están reviviendo la Edad Media. Podrías mantenernos fabricando espadas de moda.

—Oh, eso estaría bien —contestó—. Contribuir a que esos idiotas se mataran unos a otros sería un servicio a la Humanidad. ¡Sabes lo último sobre esos descerebrados de Avalon? Han destruido su único portal teletransportador. Quieren el aislamiento total, quieren de verdad estar incomunicados con el resto del

Universo y volver a una época oscura y precaria en la que pasarlo mal a diario...

Dejé que Nicholas siguiera hablando un rato sobre las locuras de Avalon y entonces, fingí que me había quedado dormida. Él interrumpió su monólogo, introdujo sus finos dedos entre mis cabellos y me acarició suavemente, con mucho cuidado.